MISTRZ.
ABSOLUTNIE

Projekt okładki
Paweł Panczakiewicz/PANCZAKIEWICZ ART.DESIGN

Zdjęcia
okładka: Michał Gmitruk/Forum, Michał Gmitruk/Forum,
Mariusz Makowski/FORUM, Jacek Domiński/REPORTER,
W. Pniewski/REPORTER, Marek Karewicz / East News,
Mirosław Stankiewicz/TVP/EAST NEWS, Lucjan Fogiel/FORUM,
Stanisław Kokurewicz / FORUM, Bogdan Łopieński / FORUM,
Krzysztof Wójcik/Forum

Korekta
Agnieszka Wasilewska

Skład
Tomasz Erbel

Wydawca
Czerwone i Czarne Sp. z o.o. S.K.A.
Rynek Starego Miasta 5/7 m. 5
00-272 Warszawa

Druk i oprawa
Drukarnia INTERDRUK
ul. Annopol 4
03-236 Warszawa

Wyłączny dystrybutor
Firma Księgarska Olesiejuk Sp. z o.o. sp. j.
ul. Poznańska 91
05-850 Ożarów Mazowiecki
www.olesiejuk.pl

ISBN   978-83-7700-302-2

Warszawa 2017

Książkę wydrukowano na papierze Creamy 80 g vol. 2.0
dostarczonym przez Zing sp. z o.o.

zing

www.zing.com.pl

MISTRZ.
ABSOLUTNIE

Wspomnienia

o Wojciechu Młynarskim

zebrała Katarzyna Skrzydłowska-Kalukin

Warszawa 2017

Wstęp

J esteśmy na wczasach", „W Polskę idziemy", „Jeszcze się tam żagiel bieli" – trzy zupełnie różne piosenki połączone osobą autora – Wojciecha Młynarskiego, człowieka, który umiał funkcjonować w kilku światach jednocześnie. Pierwszą piosenkę wykonywał samodzielnie na własnych recitalach, drugą śpiewał Wiesław Gołas w kabarecie Dudek, a trzecią Alicja Majewska na festiwalu w Opolu. Trzy różne od siebie piosenki, a wszystkie dla niego charakterystyczne.

Opole. Bez Młynarskiego nie byłoby największych festiwalowych przebojów. Był znany z tego, że pisze hity dla estradowych wykonawców. Piosenka od Młynarskiego była gwarancją wyśpiewania przeboju, zresztą nie tylko w Opolu, ale także na innych festiwalach czy w radiu. „Z kim tak ci będzie źle jak ze mną", „Odkryjemy miłość nieznaną", „Wielki Targ", „Ogrzej mnie", „Och, życie, kocham cię nad życie", „Wszystko mi mówi, że mnie ktoś pokochał": czy jest ktoś, kto nie zna tych piosenek? Młynarski uwielbiał pisać hity. Co z tego, że dla masowego odbiorcy, ważne, że porządnie i z pomysłem. Nie mógł się pogodzić z tym, że z biegiem lat Opole stało się marne, słowa piosenek byle jakie, bez błysku i profesjonalizmu. Nie znosił odpuszczania. Nie znosił fuszerki.

Piosenki, które sam wykonywał, choć trudniejsze i wymagające rozpoznania szyfru (bo przecież nie może być wprost, wtedy to nie jest piosenka), choć nie da się przy nich podrygiwać, też całe pokolenia Polaków potrafią cytować z pamięci. „Przyjdzie walec i wyrówna", „Róbmy swoje", „Niedziela na Głównym" – one także były popularne, nawet jeśli nie każdy zrozumiał w nich ukryte przesłanie. To o tych piosenkach mówiono, że to poezja, choć Młynarski nie lubił tego określenia, mówił, że poetą się nie jest, ale bywa. Narzekał, że znienawidził „Jesteśmy na wczasach", bo na koncertach wszyscy chcą, żeby ją śpiewał, jakby już niczym tej piosenki nie mógł przeskoczyć.

Kabarety: kolejny świat, w którym Młynarski był jednym z najważniejszych. Reżyserował programy satyryczne w Hybrydach, pisał piosenki dla gwiazd kabaretu Dudek: Wiesława Gołasa, Jana Kobuszewskiego, Edwarda Dziewońskiego, takie jak „A wójta się nie bójta", „Ballada o Dzikim Zachodzie", „Po co babcię denerwować". Pod koniec życia narzekał na jakość współczesnych kabaretów, tak jak i na Opole. Nie akceptował dosłowności i amatorki.

Widowiska w Ateneum – „Brel", „Piosenki Włodzimierza Wysockiego", „Hemar: piosenki i wiersze", „Ordonka" – to też było życie Wojciecha Młynarskiego. „W głębi jest neon i mój panteon, teatr z ulicy Jaracza"– napisał w jednej z ważniejszych swoich piosenek, tej o śmiechu i łzach jako trzech elementach teatru, czyli życia.

A do tego tłumaczenia tekstów Charles'a Aznavoura, Jacques'a Brela, Bułata Okudżawy, Włodzimierza Wysockiego. Aż trudno pojąć, jak jeden człowiek mógł być aktywny na tylu polach.

Zostało po nim około dwóch tysięcy piosenek. Napisał ich znacznie więcej, ale niszczył wiele z tych, które pisał, gdy był chory. Perfekcjonista, nie obniżał poziomu.

Ta książka nie jest biografią bogatego, twórczego i ciekawego, ale i często ciężkiego życia Wojciecha Młynarskiego. To wspomnienia ludzi z tych różnych przestrzeni artystycznych, w których Młynarski funkcjonował. Nie mówią w niej o jego dwoistości, dwojgu ludziach mieszkających w jednym ciele, zdrowym i chorym. To nie jest książka o ojcu, mężu, człowieku i obywatelu. Taka biografia nie została jeszcze napisana. Ta książka jest o Mistrzu, koledze ze sceny, autorze, twórcy własnej i cudzych karier.

Każdy opowiada o nim poprzez siebie. Mówiąc o swojej przygodzie z Wojciechem Młynarskim, mówi o nim. Kompozytor, który pisał muzykę do estradowych hitów, piosenkarka, która je wykonywała, autor i wykonawca, którego Młynarski namaścił na swojego następcę, profesor językoznawca, który nazywa to, co intuicyjnie widzimy w języku twórczości Młynarskiego. Jednak byli jeszcze inni blisko współpracujący z Młynarskim artyści: kompozytorzy, piosenkarki, satyrycy. Oni też mają swoją długą historię z Wojtkiem, z Młynarzem. Dla wielu ludzi był w życiu ważny i wielu może uważać, że jest ich. Funkcjonował nie tylko w różnych światach artystycznych, lecz także w życiu wielu artystów. I wszyscy mówią o nim: Mistrz.

Katarzyna Skrzydłowska-Kalukin

Nie wycofuj się, inteligencjo

Włodzimierz Korcz

Współpracowałem z Wojtkiem kilkadziesiąt lat. Była to współpraca owocna, czasami burzliwa, zawsze ciekawa. Czasami to ja proponowałem mu pisanie tekstu do gotowej muzyki, kiedy indziej to on dzwonił do mnie, mówił, że ma fajny pomysł i widzi mu się, że ja najlepiej zrobię do tego muzykę. Za każdym razem, gdy mnie to spotykało, czułem się niesłychanie dowartościowany i z pełną mobilizacją brałem się do roboty.

Kiedy Wojtek pisał nowy tekst, wiedział, który kompozytor będzie do niego pasował. Opowiadał mi kiedyś, że pisząc słowa, ma w głowie własną muzykę, a później wybiera takiego kompozytora, który fachowo spełniłby jego marzenia o kształcie muzycznym piosenki. Nie narzucał swojej wizji, ale o niej opowiadał jako o opcji do ewentualnego wykorzystania. Po klimaty jazzowe szedł do Dudusia Matuszkiewicza, po finezyjne pastisze do Janusza Senta, literackie i kabaretowe piosenki pisał mu Jurek Derfel, wysmakowane cuda pan Jerzy Wasowski. Po mnie oczekiwał przebojowości. Czasami też odrobiny szaleństwa i rozedrgania, szczególnie kiedy wykonawcą miał być Michał Bajor. W autobiograficznej książce, którą napisał, jeden rozdział poświęcił mnie, z czego byłem szalenie dumny. Napisał tam, że jestem trochę efekciarzem. Bardzo mu jestem wdzięczny za to „trochę", bo przecież całe moje życie estradowe walczę o to, żeby zrobić olbrzymie wrażenie, żeby poruszyć, wzruszyć, oszołomić, żeby osiągnąć efekt skandowanych braw, a on subtelnie, że tylko trochę. To dowód na jego niesłychany takt i subtelność. Ale prawdą jest, że kiedy w tle byli jakiś festiwal czy artystka, której potrzebny był sukces na estradzie, Wojtek dzwonił do mnie z zawodową propozycją.

***

Siedzieliśmy kiedyś z Wojtkiem w kilkunastoosobowej komisji ministerialnej, która wydawała albo nie wydawała artystom zgody na występy zagraniczne. Dodajmy, że działo się to jeszcze za poprzedniego ustroju i chodziło o artystów, którzy chcieli występować w knajpach skandynawskich, żeby zarobić na mieszkanie, a może i na używany samochód. Musieli wykazać się przed komisją nie tylko sprawnością estradową, ale też gruntowną wiedzą na temat teorii i historii muzyki oraz teatru. No więc siedzieliśmy z Wojtkiem w tej komisji w pełnym poczuciu bezsensu jej istnienia, kiedy na scenie pojawiła się jakaś dosyć spora, efektowna panienka. Zaśpiewała i nas zatkało. Miała taki bluesowy głos, że w nas jakby piorun strzelił. Prawdziwa biała Murzynka! (Wtedy to był największy komplement dla wokalistki, ale dziś chyba musielibyśmy użyć określenia Afroamerykanka). Byliśmy oszołomieni. To była Danka Błażejczyk, która starała się o pozwolenie na to, żeby śpiewać w knajpie w Finlandii. Komisja wysłuchała, jak śpiewa jakieś standardy, a potem zadała pytania z teorii. Panie profesorki zapytały Dankę o jakieś subtelności z historii teatru francuskiego w XVI wieku, a ona z rozbrajającym uśmiechem odpowiedziała: – Nie wiem. Umieraliśmy z Wojtkiem ze śmiechu, bo po jaką cholerę dziewczyna, która fantastycznie śpiewa i ma występować w knajpie w Finlandii, musi w tym celu wiedzieć, co działo się w teatrze francuskim w XVI wieku? Uważaliśmy zgodnie, że to jest kompletne nieporozumienie, jednak panie profesorki były na Dankę oburzone. Powiedziały, że nie ma prawa dostać żadnych papierów, bo przecież jej wiedza na temat teatru francuskiego jest żadna i jak ona w takiej sytuacji widzi możliwość występowania w fińskiej knajpie? My jednak niezmiennie byliśmy Danką zachwyceni. Po długiej walce z paniami profesorkami jako komisja zdecydowaliśmy, że jednak dostanie te papiery. Ustaliliśmy jednak coś jeszcze. Wojtek powiedział: – Włodek, niedługo jest festiwal opolski, ona musi tam zaśpiewać naszą piosenkę. Bardzo spodobał mi się ten pomysł i umówiliśmy się, że najpierw napiszę muzykę, a potem Wojtek słowa. Wszystko to działo się jeszcze na sali, przed którą czekała Danka, która pamiętając, jak panie profesorki ją katowały na przesłuchaniu, była pewna, że oblała. Kiedy weszła na scenę, żeby dowiedzieć się, jaki zapadł werdykt, przewodniczący poprosił, żeby siadła na krześle. Danka usiadła i wtedy wstał Wojtek Młynarski i zapytał mocnym głosem: – Pani Danusiu! Czy zechce pani zaśpiewać piosenkę moją i Korcza na festiwalu opolskim? I Danusia Błażejczyk, jak siedziała na krześle, tak się osunęła i powiedziała: – O Jezu... No i skończyło się tym, że mając te swoje papiery, nie pojechała do Finlandii, bo Andrzej Strzelecki, który też był w tej komisji, zachwycił się nią i zaproponował współpracę z teatrem Rampa, zachwycił się Młynarski i ja się zachwyciłem co najmniej tak samo albo jeszcze bardziej, więc Danka miała po co zostać w Polsce.

Zanim jednak kariera Danki się rozkręciła, po jej przesłuchaniu przed komisją poleciałem do domu pisać muzykę do tej piosenki, z którą miała wystąpić w Opolu. Jakiś czas to trwało, bo starałem się, żeby było trochę bluesowo, trochę swingowo, żeby atrakcyjnie pokazać ten jej niesamowity głos, no i efekciarsko oczywiście. W końcu pisałem po to, żeby wygrała ten festiwal. Kiedy skończyłem, do Opola zostało mało czasu, więc natychmiast dzwonię do Wojtka i mówię: – Wojtek, mam tu już muzykę dla Błażejczyk, zaraz ci ją przywiozę.

A Wojtek na to: – Teraz? Miałeś to przywieźć dwa tygodnie temu, teraz jest za późno, już nie dam rady. Oponuję: – Wojtek, przecież dziewczyna czeka, sam jej obiecałeś.

– Rozumiem – odpowiada – ale w tej chwili jest to niewykonalne, mam duże zamówienie, termin, umowa podpisana, po prostu nie ma możliwości, zapomnij i koniec.

Ręce opadły mi do samej ziemi. Chwyciłem się ostatniej deski ratunku. – Wojtek, no dobra. Rozumiem, nie napieram. Ale wiesz co? Ja ci to tylko przegram, żebyś wiedział, co napisałem, i może poradzisz, kto by mógł napisać słowa. Pojechałem do niego, zagrałem mu ten numer i... – Cholera jasna! Przyjdź pojutrze! I napisał to w dwa dni. Wojtek potrafił w dwa dni napisać taki tekst, że jak się go oderwie od muzyki, to nikt w życiu nie powie, że to było pisane do konkretnej melodii, która jest ściśle zakodowana w pewnych rygorach metrycznych i sylabicznych. I z tą piosenką również sobie fenomenalnie poradził. W tym jednym tekście jest tyle pomysłów na piosenkę, że dla innego autora starczyłoby na dziesięć osobnych utworów. Nie do uwierzenia, zwariowałem, jak to zobaczyłem. Potem były próby. I kiedy Danka wyszła w Opolu, zabiła wszystkich i wygrała festiwal.

Wojtek wyznawał zasadę, że jeżeli on nie śpi, to inni też nie muszą. Zdarzało się, że dzwonił o siódmej rano, a ja o siódmej śpię, i wykrzykiwał do słuchawki: – Nie napisałem ci jeszcze całego tekstu, ale mam już szlagwort. Uparcie i skrycie, och, życie, kocham cię, kocham cię, kocham cię nad życie! No i jak? Zaspanym głosem wyrażałem najwyższy zachwyt i za dwa dni otrzymywałem gotowy znakomity tekst. Jednak nie zawsze było tak słodko.

***

Bałem się jego reakcji na problemy, jakie zawsze mogą się zdarzyć w twórczej pracy, bo bywały gwałtowne i nieprzewidywalne. A pewnego razu Wojtek definitywnie i do końca życia zakończył ze mną współpracę. Oświadczył mi to na ulicy i poszedł.

Było to tak, że napisał tekst do mojej muzyki, jednak ja wyobrażałem to sobie troszkę inaczej. Nie wiedziałem, jak mam mu to powiedzieć, aż w końcu on zadzwonił i pyta: – No, jak? – Wiesz, jakby ci powiedzieć... – tylko tyle zdążyłem. Nie powiedziałem, że mam jakieś uwagi, że coś warto byłoby napisać inaczej – zawahałem się, to wszystko. A Wojtek wyczuł to zawahanie w moim głosie i się wściekł. Opieprzył mnie, rzucił słuchawką. Wiedziałem, że nie mam już po co iść do niego z prośbą, żeby zmienił tekst, ale potrzebne były mi zmiany. Przerobiłem go więc sam. Zrobiłem taki numer, że z tekstu zostawiłem tylko piękny szlagwort, a resztę usunąłem, wstawiłem tam wokalizę śpiewaną naprzemiennie przez Alicję Majewską i Zbyszka Wodeckiego, przepięknie zresztą to zaśpiewali. Wojtkowi nic nie powiedziałem. Jakiś czas później spotykamy się przed teatrem Ateneum. Moja żona tam pracowała i on też. Robiłem coś przy samochodzie, chyba myłem szybkę i nagle zobaczyłem koło siebie Wojtka. Miał coś niepokojącego w oczach, ale zaczął ze mną przyjacielską rozmowę, więc się uspokoiłem, kiedy nagle urywając niedokończone zdanie, wypalił: – A ja z tobą już nigdy w życiu ani jednego numeru nie napiszę. Ja na to: – Czemu? Zaraz? O co chodzi?

– Od momentu, kiedy powiedziałeś mi, że napisałem ci do dupy tekst, w życiu już ze mną pracować nie będziesz.

– Wojtek, kiedy ja ci to powiedziałem?

– Może nie powiedziałeś, ale zachowałeś się tak, że to było oczywiste! Jak mogłeś mi zrobić taki numer, że wziąłeś tekst i zostawiłeś z niego cztery linijki?

I tu na moją biedną głowę posypały się takie gromy, że poczułem się jak malutki chłopczyk. Zmył mnie, zrównał mnie z ziemią. Skatował mnie psychicznie tak, że przez dwa tygodnie nie mogłem się podnieść, i nie zacytuję tu dokładnie tego, co powiedział na mój temat, bo redaktor i tak by to wyciął. Brzydkie słowa również padały.

A na odchodnym, już z daleka, żeby mnie całkiem dobić, wykrzyczał: – A takie ładne piosenki pisaliśmy!

I zerwał ze mną współpracę. Wiedziałem, że to koniec. Powtarzałem sobie – trudno, będę musiał radzić sobie sam. Jednak czułem się z tym fatalnie. Opowiedziałem, co się stało, Michałowi Bajorowi, żeby wiedział, że zaszły pewne zmiany. A Michał mówi: – Napisz do niego list.

Zdziwiłem się bardzo – jaki list? Przecież Wojtek mieszka dwie dzielnice dalej, mogę podjechać samochodem, po co angażować pocztę. Jednak Michał upierał się: – Napisz do niego list, on na to czeka. Pokajaj się przed nim, napisz, że to twoja wina, to na niego zadziała.

Powiedziałem Michałowi, że to pomysł od czapy, bez sensu. Przez dwa dni myślałem, że Michał zwariował, a na trzeci dzień napisałem list. Tłumaczyłem Wojtkowi, że zaszło nieporozumienie. Że to nie jest tak, że nie cenię jego pisarstwa, że jest wręcz odwrotnie, cenię nadzwyczajnie, jak nikogo innego. I to, że mogę cokolwiek z nim pisać, jest dla mnie wielkim szczęściem. Niech nie myśli o braku szacunku do niego i jego pisania, po prostu tak jakoś wyszło niefortunnie i proszę o wybaczenie. Mniej więcej właśnie tak to ująłem.

Posłałem ten list jednego dnia, a na drugi dzień po południu usłyszałem jego pogodny głos w telefonie. – Włodek? Nie było sprawy. Piszemy dalej! I wszystko wróciło do normy dzięki Michałowi. Jakimś cudem wpadł na to, że Wojtek potrzebuje ode mnie rodzaju pisemnej pokuty i uratował naszą współpracę. Napisaliśmy jeszcze z Wojtkiem po tym zdarzeniu wiele wspólnych utworów, w tym sporo dla Michała Bajora.

***

Innym razem poprosiłem Wojtka o tekst w formie intrygującego opowiadania o jakimś zdarzeniu z puentą, bo marzyła mi się cała płyta w tej konwencji. Wojtek jednak napisał inaczej, nie pasowało mi to do tej koncepcji. Prosiłem go więc o nowy tekst, oczywiście delikatnie, mocno się tłumacząc. Zżymał się okropnie, ale napisał nowy. Znowu nie tak to sobie wyobrażałem, więc ryzykując życie, zadzwoniłem z prośbą o trzeci.

W słuchawce zabrzmiała długa, złowroga cisza, a po tygodniu otrzymałem trzeci tekst, też zupełnie nie taki, jak chciałem, ale za to świetny. Tak właśnie powstał „Wielki Targ", który Alicja Majewska śpiewa z powodzeniem od jakichś trzydziestu lat na każdym swoim recitalu i który jak większość jego tekstów zahaczających o tematykę społeczną niestety nie traci swojej gorzkiej aktualności. Kiedy indziej napisał dramatyczny „Marsz samotnych kobiet", w którym po dwóch zwrotkach w tonie tragicznym następowała trzecia, optymistyczna. Cóż, kiedy mnie akurat grało wtedy w duszy tragicznie, optymizm zupełnie mi nie pasował. Zaryzykowałem gniew Wojtka i nie użyłem trzeciej zwrotki. Nic mi nie zrobił, jakoś to przeszło, jednak dziś uważam, że wersja Wojtka była lepsza.

Często coś mu zmieniałem, a on tego bardzo nie lubił. Bałem się, oczywiście, ale robiłem to, bo kto miał to zrobić? Kiedy Majewska czuła, że przydałaby się w tekście jakaś drobna, ale istotna zmiana, wiadomo było, że to ja muszę zadzwonić do Wojtka, nie będę wysyłać Alki, bo ona na samą myśl o czymś takim wpadała w popłoch. Nie dzwoniłem jednak oczywiście z dyspozycją: – Wojtek zmień dwa słowa, bo coś mi tu nie pasuje. To nie wchodziło w grę. Ja musiałem to kilkakrotnie uzasadnić, wytłumaczyć, nagimnastykować się, wziąć winę na siebie, że nie daję sobie rady ze złożonością jego konstrukcji poetyckiej, żeby w końcu ewentualnie spróbować go nakłonić. I jakoś mi to uchodziło przez dłuższy czas. No ale o mało co nie skończyło się katastrofą w momencie, kiedy zostawiłem mu w tekście tylko te nieszczęsne cztery linijki.

**

Kiedyś zaproponował mi napisanie muzyki do spektaklu „Dyzma – musical". Poczułem się wyjątkowo wyróżniony, bo przecież chodziło nie o pojedynczą piosenkę, ale o tzw. dużą formę z muzyką ilustracyjną, masą piosenek, z orkiestrą, chórem, solistami – po prostu o spektakl teatralny. Wojtek powiedział, że jest już po rozmowie z dyrektorem teatru w Chorzowie, i wręczył mi prawie gotowy tekst, w którym brakowało tylko jakichś drobiazgów. Miałem spojrzeć i zacząć myśleć o muzyce. Dał mi więc ten tekst, a następnie zniknął. Po jakimś czasie okazało się, że ciężko zachorował. Było tak źle, że nie było mowy o jakimkolwiek kontakcie. Łykał leki, które go wyciszały, dawały szansę przeżycia, ale nie pozwalały pracować. Wprawdzie Wojtek pisał najlepiej, kiedy był w aktywnej fazie choroby, jednak kiedy zbliżało się apogeum, które nie dawało szans na bezkonfliktowy kontakt ze światem, musiał się leczyć.

Zacząłem pisać muzykę, bo dyrektor ponaglał, w międzyczasie próbowałem skontaktować się z Wojtkiem, jednak jego żona wciąż powtarzała, że na razie to niemożliwe. Kiedy w końcu stanął na nogi, próby w teatrze były już w końcowej fazie, a on nie słyszał jeszcze muzyki, nie miał żadnego wpływu na obsadę, nic nie wiedział o scenografii. Bałem się jego reakcji, bo wszystko zadziało się właściwie bez jego wiedzy. Było mniej więcej z tydzień do premiery, kiedy zadzwoniłem do niego i nagle okazało się, że jest już w świetnej formie. Mówię: – Wojtek, mam sprawę do ciebie.

– To wpadaj – odpowiedział. Wpadłem, wyłuszczam sprawę: – Słuchaj, za tydzień mamy w Chorzowie premierę „Dyzmy".

A Wojtek patrzy na mnie jak na czubka.

– Czekaj, o czym ty mówisz? Jakiego Dyzmy?

Całkiem wymiótł to z pamięci. On, który do pewnego momentu swojego życia recytował z pamięci wszystkie swoje teksty sprzed lat, łącznie z wersjami pierwotnymi, pierwszymi i drugimi poprawkami, nie pamiętał, że napisał ze współautorką Henryką Królikowską libretto, a sam teksty kilkunastu piosenek, nie pamiętał, że przeprowadzał rozmowy z dyrektorami w kilku teatrach, i nie pamiętał, że dał mi egzemplarz sztuki, żebym mu napisał muzykę. Mówię, że za tydzień premiera, a on: – Jaka premiera? O co ci chodzi?! Z najwyższym trudem przyjął w końcu do wiadomości, że to wszystko prawda.

Na koniec, oszołomiony, trochę bez przekonania powiedział: – Wiesz, to właściwie fantastyczne, nie ruszyłem palcem, a wszystko się samo zrobiło. I teraz sobie po prostu przyjadę na premierę, na gotowe.

Denerwowałem się jak nigdy. Rozmyślałem gorączkowo: „Rany boskie! Jeżeli on mi powie, że ta muzyka jest do kitu, że obsada jest bez sensu i że reżyseria też jest bez sensu, to ja leżę. Nie mam kolegi i skończy się pisanie".

Na szczęście premiera poszła jak burza. Publiczność wywołała Wojtka na scenę, gdzie rozpromieniony musiał się wielokrotnie kłaniać, a na popremierowym bankiecie wstał, podziękował wszystkim i powiedział: – Słuchajcie, jestem szczęśliwym człowiekiem.

Dopiero w tym momencie poczuliśmy ulgę, że udało nam się zadowolić nie tylko rozentuzjazmowaną publiczność, ale też, a może przede wszystkim, nadzwyczaj wymagającego autora.

***

Artyści zazwyczaj bali się występować przed nim z repertuarem, który on napisał. Córka Wojtka Agata poprosiła mnie kiedyś, żebym przyjechał wraz z Alą Majewską do Łodzi na promocję jej książki o ojcu, żeby wykonać przy okazji kilka naszych wspólnych piosenek. Wojtek miał już w tym czasie twarz, która się nie uśmiechała. To rzucało się w oczy, bo zdrowy Wojtek był człowiekiem pogodnym, z niebywałą kulturą i wdziękiem, a kiedy wpadał w te swoje depresje, odejmowało mu uśmiech. Siedział więc tam z tą nieruchomą twarzą, miał problemy z artykulacją. Siedział naprzeciw publiczności, ale w taki sposób, że i ja przy fortepianie widziałem go. Sprawiał wrażenie człowieka bezradnego, ale nadal było w nim coś takiego, że

kiedy miałem zacząć grać, trzęsły mi się ręce...
Przecież ja na ogół nie mam specjalnej tremy,
występuję na scenie kilkadziesiąt lat i już wiem,
co potrafię, czego nie potrafię, też wiem. Ale
kiedy usiadł naprzeciwko mnie Wojtek i miałem
zagrać jego piosenki, to wpadłem w popłoch.
Siedzę więc przy fortepianie zdenerwowany, pa-
trzę na Majewską, a ona przełyka ślinę, stremo-
wana jak debiutantka. I poczuliśmy się jak dwoje
pierwszoklasistów przed profesorem, którego
nie da się oszukać jakimś tanim grepsem, który
wyczuje każdy fałsz, każdą nierzetelność. Na
szczęście jakimś cudem wzięliśmy się w garść
i tych kilka piosenek jakoś udało się wykonać.
Po koncercie powiedział kilka miłych słów, raczej zdawkowych, bo co tu było mówić. Podziękował przede wszystkim, że tam byliśmy. Bo my
przyjechaliśmy tam dla niego. Nie po to, żeby
zarobić pieniądze, których tam nie było, tylko
żeby po prostu mieć radość z uczestnictwa w faj-
nym przedsięwzięciu związanym z Wojtkiem
Młynarskim.

* * *

Opowiem, jak to było z piosenką „Jeszcze się tam żagiel bieli". Pewnego razu przyszła do mnie Alicja Majewska i mówi, że ma zaśpiewać w NRD. Dostała propozycję, żeby wystąpić na festiwalu Człowiek i Morze w Rostocku. To były początki jej kariery, była wtedy początkującą piosenkarką z potencjałem na gwiazdę. Poprosiła, żebym napisał jej piosenkę, a ja chętnie się zgodziłem. Usiadłem i zacząłem się zastanawiać. Jeśli festiwal jest w NRD, to musi być to marsz, jednak żeby nie kojarzył się jednoznacznie z wojskiem, powinien mieć taki trochę francuski charakter. I dobrze by było, żeby był poprzedzony czymś lirycznym. I główny temat najpierw cichutko i nisko, a potem oktawę wyżej i porywająco. A na końcu oczywiście bardzo długa nuta fortissimo i czekamy na owacje. Tak sobie wymyśliłem, usiadłem do fortepianu i zacząłem grać. Kiedy już wymyśliłem tę muzykę od początku do końca, wyszło mi, że nie ma na świecie człowieka, który lepiej napisałby do niej tekst niż Wojtek Młynarski. Poszedłem do niego, zagrałem mu to, a on na to: – No tak, typowa „korczówa". Przylepił mi ten epitet i potem przez wiele lat używano tej „korczówy": czasem po to, żeby mnie pochwalić, a kiedy indziej po to, żeby zganić. Potem bezbłędnie dopisał słowa i od tamtego czasu do tej pory nie tylko żony marynarzy wzruszają się, słysząc śpiewaną opowieść o „chłopcach, którzy odpłynęli". A wtedy Majewska pojechała z „Żaglem" na festiwal i oczywiście go wygrała.

***

Utwór Wojtka z moją muzyką, który najbardziej lubię, to mało znana piosenka z płyty Alicji Majewskiej, na którą napisaliśmy wspólnie z Wojtkiem wszystkie utwory. Na tej płycie są najpopularniejsze piosenki Alicji, takie jak „Jeszcze się tam żagiel bieli" czy „Odkryjemy miłość nieznaną", ale Wojtek twierdził, a ja się z nim zgodzę, że najlepsza wśród nich piosenka to „Winogrona późnym latem". Jest jeszcze taka, której tekst robi na mnie olbrzymie wrażenie – „W miłości słowa nic nie znaczą". Nikt w tej chwili nie umie pisać takich tekstów, zresztą boję się, że z każdym rokiem zmniejsza się liczba tych, którzy są w stanie docenić urodę języka, jakim posługiwał się w swojej twórczości Młynarski. Lubię też piosenkę, którą napisał pod koniec lat 70. dla mojej żony, Elżbiety Starosteckiej, „Zwiń w kłębek wełnę złych szarych lat, są wiosny pełne szczęśliwych dat i są za mgłą rozmarzone narzeczone". Ten utwór to jeden z najlepszych przykładów na to, że Wojtek był również poetą, a nie tylko tekściarzem, jak się często zarzekał. Podobnie jak „Ogrzej mnie", który jest czystą, rewelacyjną, oszalałą poezją. Piosenkę tę wykonuje Michał Bajor i to z nim się ona kojarzy. Jednak było z nią tak, że pewnego dnia zadzwonił do mnie Wojtek i mówi: – Włodek! Napisałem tekst dla Jandy. Okazało się, że Krysia poprosiła go o napisanie specjalnego utworu na festiwal piosenki aktorskiej we Wrocławiu. – Napisz muzykę – mówi Wojtek. Oczywiście. Wziąłem tekst, przeczytałem i o mało nie omdlałem. To był jeden z najlepszych znanych mi tekstów, jaki wyszedł spod ręki Wojtka. Jedyne, czego się obawiałem, to tego, żeby go nie spieprzyć. „Rany boskie", myślałem, „jeśli ja do takiego tekstu napiszę niezłą muzyczkę, to będzie tragedia". To musi być najlepsza muzyka, na jaką mnie stać! Myślałem, myślałem, męczyłem się strasznie przez kilkanaście dni i w pewnym momencie zrozumiałem, że jeśli zrobię muzykę dokładnie podkreślającą walor każdego słowa, to leżę. Nie będzie efektu. Po namyśle doszedłem do wniosku, że jedyne, co mogę zrobić, to zamordować część tekstu. Zrobiłem to. Napisałem refren w taki sposób, że przez natłoczenie wielu słów w jednej frazie część tekstu po prostu ginie. Ale to było jedyne wyjście, żeby ten tekst wraz z muzyką zrobił odpowiednie wrażenie. Uznałem, że do odbiorcy musi dotrzeć idea, temperatura, emocjonalność tego utworu, a nie dokładny przekaz każdego słowa.

Dokonałem zbrodni z pełną premedytacją. Kiedy później pytałem rozmaitych ludzi, zachwyconych tym numerem i tym, że ma taki piękny tekst, czy są pewni, że go znają w całości, odpowiadali, że oczywiście tak. Cytowałem im wtedy wybrane przez siebie fragmenty, a oni ze zdumieniem mówili, że słyszą to pierwszy raz w życiu. Na szczęście Wojtek nie miał mi za złe tej pozornej profanacji i z wyrozumiałością potraktował moje działania.

Skomponowałem więc muzykę, a Krysia miała piosenkę wykonać. Przed występem umierała ze strachu, bo to była bardzo trudna piosenka. Dyrygowałem orkiestrą, która się myliła, Krysia się myliła, nuty z pulpitu mi spadały. Z każdą chwilą czułem pogłębiającą się kompromitację, marzyłem o dotrwaniu do końca i błyskawicznej ucieczce, a potem usłyszałem burzę braw. Myślę, że to był mój najgorszy występ w życiu i jednocześnie jeden z największych sukcesów. Publiczność szalała. Usłyszeli ten występ, tę nadzwyczajną Krysię Jandę, która nawet umierając ze strachu i myląc się, potrafiła elektryzować widownię samym tylko pojawieniem się na scenie – i oszaleli. Trzy razy kazali jej bisować. Wiązała się z tym nieprzyjemna sytuacja, bo Janda śpiewała przedostatnia, a ostatnia była Edyta Geppert, która przez te bisy nie mogła wejść na scenę. Współczułem jej potwornie, ale co ja mogłem? Jeszcze raz okazało się, że estrada nie rządzi się prawami rzetelności, tylko efektem. A efekt był tak piorunujący, że Andrzej Wajda obiecał Krysi wyreżyserować teledysk z tą piosenką. Byłem zachwycony, moja muzyka miała być w teledysku reżyserowanym przez Wajdę!

I wtedy Michał Bajor, który szykował się do występu na festiwalu w Sopocie, poprosił Jandę, żeby jeden raz pozwoliła mu wykonać ten utwór, właśnie tam. I Janda się zgodziła, tym bardziej że Michał miał śpiewać po angielsku. Janda pojechała za granicę, a Bajor do Sopotu. Wyszedł na scenę, zaśpiewał, zgodnie z umową pierwszą zwrotkę po angielsku, ale następną już po polsku, bo, jak później tłumaczył, zapomniał angielskiego tekstu. Jakiś czas później Krysia wróciła do Polski, dzwoni do mnie i mówi: – Pamiętasz? Jesteśmy umówieni z Andrzejem Wajdą, robimy teledysk. Musiałem jej wtedy powiedzieć, że od kiedy jej piosenkę zaśpiewał Bajor, cała Polska kojarzy ją z nim. I nawet otrzymuje listy od fanek z prośbami typu: ogrzej mnie, błędny rycerzu. Bo „Błędny rycerz" to była druga piosenka Wojtka i moja, którą tam zaśpiewał. Janda nie mogła uwierzyć. Była zła, miała pretensje do mnie, że do tego dopuściłem. A co ja miałem dopuszczać, jak oni to wszystko załatwili między sobą, za moimi plecami? W rezultacie teledysku oczywiście nie było, a ja straciłem swoją jedyną szansę na zawodowe spotkanie z Andrzejem Wajdą.

Wojtek był więc autorem wielu sukcesów. Wielu ludzi dzięki jego tekstom zrobiło karierę. Ja też dzięki współpracy z nim jestem teraz pewnie w innym miejscu, niż byłbym, nie komponując do jego słów. Znaliśmy się kilkadziesiąt lat, jednak nie mogę powiedzieć, żebym mógł się nazywać jego przyjacielem. Byłem kolegą z pracy. Raz zaprosił mnie i moją żonę na swoje urodziny i wtedy poczułem, że traktuje mnie jak kogoś bliskiego, bo gości było najwyżej dwadzieścia parę osób. Jednak nie umiałbym powiedzieć, że byłem z nim zaprzyjaźniony. Wojtek nie zaprzyjaźniał się łatwo. Z niektórymi dobrze się czuł, innych unikał, z innymi lubił pracować. Ja mimo wszystkich perturbacji mogę chyba zaliczyć się do kręgu tych ostatnich. I jest to dla mnie powód do olbrzymiej satysfakcji.

***

Znałem jego mamę, kobietę nadzwyczajną. Pod koniec życia była w bardzo złym stanie zdrowia i musiała przebywać pod stałą opieką w Skolimowie, odwiedzaliśmy ją tam z żoną. Była to starsza pani z tak delikatną urodą, dłońmi, rysami twarzy, z taką subtelnością, sposobem bycia, kulturą, że spokojnie można było się w niej zakochać. Nie ma już takich ludzi jak mama Wojtka Młynarskiego, z taką klasą i niezwykłą umiejętnością kontaktowania się z bliźnimi, która sprawiała, że wszyscy dobrze się przy niej czuli. Przedwojenna inteligentka. Wojtek był jednym z ostatnich inteligentów w branży estradowej. Żal, po prostu żal, że na dzisiejszej estradzie tak mało jest już tych trendów, które on wyznaczał. Oczywiście należy wierzyć, że kiedyś znowu teksty piosenek będą pisali literaci i poeci tej miary co Tuwim, Gałczyński, Przybora, Osiecka czy Młynarski, a kultura społeczna i polityczna osiągnie niebywałe szczyty, ale zanim to nastąpi, będziemy musieli jeszcze jakiś czas przypominać sobie żarliwą prośbę Wojtka, który pisał:

Chcę cię mieć przy sobie noce, dnie,
Więc mnie, proszę, nie strasz swą absencją!
Ukochana, nie opuszczaj mnie,
nie wycofuj się...
...Inteligencjo.

Dwanaście przebojów Skaldów

Andrzej Zieliński

Andrzej Zieliński – Nagrywaliśmy ze Skaldami w Radiowym Studiu Piosenki przy Myśliwieckiej w Warszawie piosenki na naszą drugą płytę. Miałem już gotową muzykę, ale brakowało mi jeszcze tekstu do jednej piosenki. Przy nagraniach asystował Wojtek, który współpracował ze studiem. Zwrócił na nas uwagę, bo spodobało mu się, że w mojej muzyce wykorzystuję zarówno muzykę rockową, klasyczną, góralską, jak i improwizacje jazzowe.

Wojciech Młynarski w rozmowie z Polskim Radiem*: – Do jednej z piosenek zabrakło tekstu. Trzeba go było prawie na poczekaniu napisać. Otrzymałem propozycję od Andrzeja Zielińskiego, by się tego zadania podjąć.

Andrzej Zieliński: – W przerwie między nagraniem jednego a drugiego utworu zagrałem Wojtkowi ten utwór na fortepianie. Na poczekaniu napisał słowa. Legenda mówi, że w dwadzieścia minut, ale nie pamiętam tego dokładnie, przecież to było pięćdziesiąt lat temu.

Wojciech Młynarski: – Tekst pisałem z tremą i w największym pośpiechu. Tak powstało „Wszystko mi mówi, że mnie ktoś pokochał".

Andrzej Zieliński: – Chyba nie ma w Polsce człowieka, który by nie znał tej piosenki, tym bardziej że po latach zafunkcjonowała w nowych, różnych wykonaniach, jak również w... reklamie soków.

„Wszystko mi mówi, że mnie ktoś pokochał" została Radiową Piosenką Roku 1967, a Wojciech Młynarski rozpoczął po jej napisaniu współpracę ze Skaldami.

Andrzej Zieliński: – Napisałem z nim dwanaście piosenek.

Wojciech Młynarski: – Polowałem na takie kompozycje, w których dynamiczny rytm przeplatałby się z klasycznym lejtmotywem. Melodię, o której marzyłem, Andrzej Zieliński nagrał mi w Krakowie. Tekst był gotów następnego dnia. Zaakceptował go bez jednej poprawki, a była to „Prześliczna wiolonczelistka".

Andrzej Zieliński: – Tekst o prześlicznej wiolonczelistce opowiada o facecie, który przychodzi do filharmonii, bo podoba mu się wiolonczelistka. A Wojtkowi podobała się akurat wiolonczelistka z zespołu Anawa, Ania Wójtowicz. I to go zainspirowało.

Najbardziej znane wspólne utwory to: „Ty", „Bas", „Hymn kolejarzy wąskotorowych", „A wójta się nie bójta", „Straszne sny naczelnika poczty w Tomaszowie", a przede wszystkim „Będzie kolęda", który co roku nadawało radio przed Bożym Narodzeniem, zapewniając piosence nieustającą popularność.

Andrzej Zieliński: – Dla mnie osobiście ważny jest utwór poświęcony Górnikowi Zabrze pod tytułem „Górą Górnik". W 1970 roku drużyna Górnik Zabrze dotarła do finału Pucharu Zdobywców Pucharów, pokonując po drodze silne drużyny, między innymi AS Romę. Polska szalała. Kibice na stadionie wznosili transparenty: „Nawet włoskie makarony nie pomogą piłkarzom Romy". Nie wszyscy mieli w domach telewizory, więc sąsiedzi odwiedzali tych, którzy mieli. Każdy chciał zobaczyć mecze, którymi żyli mężczyźni i kobiety, i nawet dzieci. Młynarski napisał: „Jesteśmy z wami, chłopcy, górnicy z Zabrza, chcemy was śpiewem, chłopcy, do boju zagrzać". I były to słowa szczere. Górnikowi Zabrze kibicowali wtedy naprawdę wszyscy.

Skaldowie byli zespołem krakowskim. Zwróciła na nich uwagę Agnieszka Osiecka, wówczas szefowa Radiowego Studia Piosenki przy Polskim Radiu. Rozpoczęli współpracę i od tej pory Skaldowie zaczęli nagrywać głównie w Warszawie przy ulicy Myśliwieckiej. Andrzej Zieliński nagrywał tam nie tylko muzykę dla Skaldów, ale także podkłady czy akompaniamenty dla innych wokalistów. A że Osiecka zaprosiła do współpracy z Radiowym Studiem Piosenki również Młynarskiego, wspólne utwory Zielińskiego i Młynarskiego powstawały głównie tam. Zdarzało się jednak, że pracowali też korespondencyjnie.

Andrzej Zieliński: – Wojtek miał rzadki dziś styl pisania. Każdy jego tekst opowiada jakąś historię, a mnie, który pisał do tego muzykę, dzięki temu od pierwszych zdań działała wyobraźnia. Dopasowywałem muzykę do temperatury emocji w tekście. Pisał na podstawie obserwacji, własnych i cudzych doświadczeń. W tych tekstach był konkret, tam nie było słów o niczym. Każdy jego tekst ma też oczywiście puentę. Ja najbardziej lubię tę z piosenki „Bas".

Piosenka opowiada o operowym śpiewaku, który uparcie śpiewa basem, chociaż nikt się już nim nie zachwyca, bo akurat zapanowała moda na inne śpiewanie. Bas zmienia więc w kolejnej zwrotce rejestr i natychmiast zyskuje swój fanklub. Puenta brzmi: „Nie zawsze twój bas dociera do mas, czasami trzeba piano" (z włoskiego „cicho").

Andrzej Zieliński: – Lubiłem współpracować z Wojtkiem. Jego utwory były spójne i w całości były dziełem. Podobno u Młynarskiego nie można było zmienić jednego słowa. Ja nigdy nie miałem takiej potrzeby. Tam, jeśli chodzi o rytm, wszystko było matematycznie wyliczone i bez problemu można było pisać do tego muzykę. Było tak na pewno dlatego, że Wojtek sam śpiewał, więc pisał muzyczne teksty. U Osieckiej, która sama nie śpiewała, było czasami za dużo sylab w tekście, trzeba było coś zmienić. Miałem jej zgodę na drobne poprawki w tekstach, żeby wszystko pasowało do mojej muzycznej frazy. U Wojtka nie było z tym problemów. Poza tym potrafił pisać do istniejącej już muzyki, co też było talentem nie u wszystkich autorów spotykanym.

Pisał teksty na czasie, z podtekstem, dlatego nieraz mieliśmy problemy z cenzurą – kontynuuje Zieliński. – Jednak dobrzy autorzy potrafili pisać takim językiem, że cenzorzy nie wyłapywali myśli zasadniczej. I Wojtek też właśnie tak z cenzorami wygrywał.

To były teksty z najwyższej półki – mówi Zieliński. – W latach 60. i 70. teksty piosenek pisali najlepsi polscy autorzy, poeci tacy jak Leszek A. Moczulski czy Agnieszka Osiecka. Wszystkie były o czymś, poetycko napisane. To nie był bełkot, w którym jedno zdanie się powtarza w kółko. W nich zawarta była cała opowieść. Dziś już nie pisze się takich tekstów. Poeci są bezrobotni, niepotrzebni, bo śpiewające panny piszą sobie same słowa do swoich piosenek i wiedzą najlepiej, co chce usłyszeć ich publiczność. A kiedyś korzystało się z dobrych tekstów. Nie tylko ja to robiłem.

Kiedy zaczęliśmy współpracę, powiedział mi, że skoro jestem uznanym twórcą, to muszę wyglądać przekonywająco – wspomina

Zieliński. – W tym celu muszę mieć skórzaną marynarkę i skórzaną walizeczkę zwaną wtedy biurem, w której nosiło się nuty i teksty. Poszedłem więc na Chmielną w Warszawie, wtedy jeszcze Rutkowskiego, i kupiłem w komisie skórzaną marynarkę i odpowiednią teczkę. Od tej pory byliśmy z Wojtkiem jednakowo ubrani, przy czym on miał czarną marynarkę, a ja brązową. Miał rację, w tym outficie czułem, że jestem kimś liczącym się w biznesie muzycznym, kimś twórczym. I od razu lepiej rozmawiało mi się z muzykami i autorami tekstów.

W latach 70. Młynarski kupił w Kościelisku góralską chatę krytą gontem. Z okien widać Giewont. Spędzał tam wakacje i święta, przyjmował przyjaciół.

Wojciech Młynarski w wywiadzie dla tygodnika „Gala" w 2006 roku: – W Tatrach mamy dom, który nazywamy Puciówką, od „pucio, pucio". Stoi w Kościelisku na Polanie Sobiczkowej i jest to najmilsze miejsce pod słońcem. Jeśli możemy się tam spotkać, jesteśmy najszczęśliwsi. Tam są najprzyjemniejsze święta i wakacje. Nie ciągnie nas specjalnie w odległe kraje, wolimy pojechać do Kościeliska. Tam panuje niezwykła atmosfera, której nie da się opisać w żadnym języku.

Andrzej Zieliński: – Ja też miałem dom w Zakopanem pod skocznią, byliśmy więc półgóralami, sąsiadami. Nic dziwnego więc, że widywaliśmy się w Zakopanem. Jeździliśmy razem na nartach. Wojtek bardzo dobrze jeździł, podobnie jak i ja. W tamtych czasach w Tatrach było zaledwie kilka wyciągów. Jeździło się na Kasprowym, w Bukowinie albo na Gubałówce. My wybieraliśmy Bukowinę, bo tam był fajny, długi zjazd. Trudno było jednak spokojnie pojeździć. Ludzie zaczepiali nas nieustannie na stoku, bo to były czasy naszej dużej popularności. Zarówno „Wiolonczelistkę", jak i „Jesteśmy na wczasach" z nieśmiertelną panną Krysią śpiewała cała Polska – na stoku też. A jak nie śpiewała, to pokazywała sobie Wojtka palcem i trudno było skupić się na muldach w takich warunkach. Jednak Wojtek był luzakiem, nic sobie z tego nie robił. Był już przyzwyczajony, że wszyscy zwracają na niego uwagę. On to nawet lubił.

Wypowiedzi Wojciecha Młynarskiego pochodzą z tekstu „Dla Skaldów trzeba było pisać szybko" opublikowanego na portalu Polskieradio.pl i z wywiadu, którego udzielił tygodnikowi „Gala" w 2006 roku.

Wierszowany przepis na życie

Michał Ogórek

Poznałem Wojtka dosyć późno. Zaprzyjaźniliśmy się dopiero pod koniec lat 90., choć to chyba za wielkie słowo, bo z nim trudno było się przyjaźnić. Jest między nami różnica generacyjna, mogłem raczej szczycić się znajomością i dobrymi kontaktami z nim niż przyjaźnią w tradycyjnym znaczeniu. W każdym razie byliśmy blisko, kiedy Wojtek był już w schyłkowym okresie swojej twórczości. Występowaliśmy razem w programie „Cafe Fusy" nadawanym przez TVP. Siadaliśmy we czterech – Wojtek, Krzysztof Daukszewicz, Krzysztof Jaroszyński i ja – i rozmawialiśmy, komentując satyrycznie rzeczywistość. Spotykaliśmy się co tydzień, czasem co dwa, bo Wojtek niektórych odcinków z nami nie nagrywał, regularnie przez jakieś cztery lata. To był fajny, intensywny czas. Dla Wojtka trudny prywatnie, bo właśnie rozstał się z żoną, z rodziną, a wręcz z całym dotychczasowym życiem, bo wyprowadził się z domu. Za sobą zostawił wspaniały, otwarty dom, w którym zawsze było pełno ludzi. Zdaję sobie sprawę, że życie z nim, a właściwie z jego chorobą, było trudne. Wszyscy podziwiali Adriannę, że umie z tym funkcjonować. Jednak w pewnym momencie powiedziała „dosyć". Przeniósł się do mieszkania na ulicy Lwowskiej, o którym napisał piosenkę „Naszych matek maleńkie mieszkanka". Bardzo źle to znosił.

W programie jednak jego problemów osobistych nie było widać. Perfekcyjnie oddzielał emocje od pracy. Życie prywatne zostawiał przed drzwiami do studia. Zawsze był idealnie przygotowany. Przychodził i musiał być dysponowany, bo taka była konieczność. Nie choroby przecież od niego oczekiwali. Zawsze traktował swoją pracę poważnie, bez względu na to, czy pisał tekst dla kogoś, dla siebie, czy brał udział w programie rozrywkowym, takim jak nasze „Cafe Fusy". Bez względu na okoliczności starał się, żeby to, co robi, było dobrej jakości. Od innych wymagał tego samego, wszyscy wiedzieli, że gdyby cokolwiek mu się tam nie podobało, wyszedłby, nie miałby wątpliwości, dlatego my też staraliśmy się wydać z siebie jak najlepszą jakość. Znakomicie mi się z nim współpracowało, chociaż nigdy nie zbliżyłem się do niego tak bardzo, jak bym chciał.

***

Miał taką cechę, że natychmiast przejmował rolę reżysera. Był kierownikiem każdej ekipy. Przy programie „Cafe Fusy" pracowała pani reżyser. Nie miała jednak wiele do powiedzenia, bo Wojtek wszystko brał w swoje ręce. Zawsze miał ostatnie słowo, a wcześniej pierwsze. Myśmy siedzieli, gadali, do nas się nie wtrącał, ale w inscenizację, scenografię – nieustannie, wszystko poprawiał. Mówili mu: „Może charakteryzację jeszcze zrobisz?". Podczas nagrań nie wolno mu było przerywać. Kiedy coś opowiadał, trzeba było mu dać opowiedzieć do końca, bo on szedł do puenty. Wiadomo, puenta! Jak się go wybiło wcześniej z rytmu, wtrąciło własny żart, potrafił się strasznie wkurzyć. Pamiętam taką sytuację z Krzysztofem Jaroszyńskim. Wojtek mówił: „Wysoki urzędnik państwowy", co aż się prosiło, żeby wtrącić: „Ale bardzo niski", i Jaroszyński to zrobił. A Wojtek wybił się z rytmu i musiał zmienić ton wypowiedzi. Zaperzył się, rozgniewał, zawołał: „Co mi tutaj?!!", i tak się nakręcał, że musieliśmy przerwać nagranie. Zaczął to opowiadać jeszcze raz, ale był tak wściekły, że musiał przestać.

Najmniejszą krytykę znosił źle, ale dlatego że się tak przejmował. Joanna Szczepkowska opowiadała, że spotkała go kiedyś w dniu koncertu i coś źle powiedziała o repertuarze, który jej powierzył. Mocno się wkurzył, ale kiedy Joanna przyszła wieczorem na występ, czekał już na nią zupełnie nowy utwór – o niebo lepszy, ale którego musiała się błyskawicznie nauczyć. Trudno się dziwić, że wykonawcy woleli już potem nie zgłaszać żadnych obiekcji...

Był bardzo wymagający wobec siebie i wobec innych. Tu nie było kompromisów. Gdy uważał, że coś jest niedobre, mówił to i trzeba było zmienić, jak uważał, że dobre, to nic nie mówił. Do swoich tekstów też podchodził bardzo poważnie, legendarne są już opowieści o tym, że wykonawcom nie pozwalał zmieniać w nich nawet słowa. Choć sam raz coś tak przekręcił, że aż musiał przestać wykonywać piosenkę „Lubię wrony". Ona się kończy tak: „Czarne toto i w ziemi się dłubie, a ja je lubię". Raz na recitalu zaśpiewał: „Czarne toto i w ziemi się grzebie i ja je...". Cała sala dopowiadała niecenzuralny rym. Na wszelki wypadek przestał „Wrony" śpiewać. Choć w stanie wojennym miałby je jak znalazł.

***

To wszystko nie oznacza, że czuł się jakimś klasykiem. Przeciwnie, on całe życie czuł się uczniem. Zawsze musiał mieć jakiś autorytet. Tak się złożyło, że z czasem miał już same nieżyjące autorytety. Jego guru był Jurek Dobrowolski, który nauczył go umiejętności estradowych i tego rodzaju humoru, który znamy. Wojtek wielbił go latami, jakby nie zauważył, że już dawno temu przerósł mistrza. Właściwie on przerósł wszystkie te swoje autorytety. Dziewoński nie był, mówiąc szczerze, jakimś dobrym aktorem czy tym bardziej autorem. Młynarski przerósł go, i to dwa razy, a cały czas mówił o Dziewońskim jak o niedościgłym mistrzu. Musiał mieć ludzi, z którymi się liczył, których traktował poważnie i z największym szacunkiem. Skąd to się brało? To natura prymusa. Chciał być najlepszy i chciał, żeby mistrz go chwalił. Był bardzo łasy na wszelkie pochwały. Oczywiście chwalić trzeba było umieć, należało to robić w sposób wyrafinowany, nie wprost. Był bardzo zadowolony, kiedy ktoś powiedział mu jakiś nieoczywisty komplement. Sam nie rewanżował się tym samym.

***

Można powiedzieć, że Wojtek był satyrykiem, ale nieoczywistym. Jego satyra była specyficzna, niekarykaturalna, bardzo pilnował, żeby nie popadła w szyderstwo. Raczej ironiczna, przełamywana śmiechem, a nawet liryczna. Jednak nie nadmiernie sentymentalna, bo satyra jest bronią przed sentymentalnością. Jak ktoś jest zbyt wzruszony, robi się owszem śmieszny, ale nie zabawny.

Cenimy go najbardziej za to, co pisał dla siebie, co sam wykonywał, chociaż on doskonale wiedział, że największymi przebojami stały się piosenki, które napisał dla innych, do Opola. Może z wyjątkiem „Jesteśmy na wczasach", którą śpiewano na każdym turnusie, na każdym wieczorku zapoznawczym i dancingu, chociaż to właśnie je wyszydzała. Wojtek nie mógł sobie darować, że te dancingi swoją piosenką wskrzesił. Jednak to te poetycko-satyryczne teksty były najlepsze. „Z kim tak ci będzie źle jak ze mną" – uważam, że to wspaniały utwór i nawet Kalina Jędrusik nie umiała zaśpiewać go tak, jak na to zasługuje. Na pierwszy rzut oka to piosenka o miłości, ale gdy się wsłuchać, to jakby ojczyzna do nas śpiewała:

Z kim tak ci będzie źle jak ze mną,
Przez kogo stracisz tyle szans każdego dnia,
Kto blady świt, noce bezsenne
Tak ci zatruje jak ja?

U Wojtka wszystko miało znaczenie metaforyczne. Jerzy Wasowski miał do niego pretensje, że umie pisać takie piosenki, a pisze doraźne, satyryczne kuplety.

***

Najlepszy był w najmłodszych latach. Był już gotowy, kiedy zaczął śpiewać. To, co robił w latach 60., było po prostu genialne. On wtedy robił z językiem coś wspaniałego. To było rewelacyjne. Zaczął z takiego poziomu jak Wojciech Fortuna, skoczył najdalej, jak to możliwe, tak daleko, że dalej już nie można. W późniejszych czasach oczywiście nadal był świetny, jednak nie coraz lepszy. Zdarzały mu się wręcz słabsze numery. Może to przez chorobę, a może zgubiła go zbytnia łatwość pisania i pisał za dużo.

On sam weryfikował na bieżąco swoje utwory. Kiedy pisał w okresach kompulsywnej twórczości i rozdawał piosenki wykonawcom, po powrocie do formy odbierał te, które uznał za zbyt słabe, i niszczył je. Miał więc krytyczny stosunek do siebie i ogromne wymagania nie tylko wobec innych.

Wojtek powodował, że ludzie w jego obecności bardzo się starali. Potrafił krzyczeć z widowni: „Trzeba było nauczyć się tekstu!", kiedy ktoś na scenie mylił się, śpiewając jego piosenkę. To jednak było wykrzykiwane żartobliwie, z uśmiechem. Wojtek miał taki stosunek do życia – żartobliwy. Jednak ludzi, którzy nie do końca tę konwencję kupowali, a szczególnie początkujących wykonawców, takie uwagi paraliżowały i dobijały. W konwencji mieściła się też szorstkość. Nie chwalił nikogo wprost.

Wykonawcy bali się go, bo wiedzieli, że jeśli nie sprostają jego wymaganiom, nie dostaną następnej piosenki. Wiadomo było, że piosenka Młynarskiego to przepustka na estradę. Jego nazwisko było niemal gwarancją wyjazdu do Opola. Nawet jeśli piosenka nie stanie się hitem, na pewno będzie wysoko oceniona. Piosenkarzom bardzo więc zależało, żeby utrzymywać z nim życzliwe kontakty. Tym największym również.

Mobilizowali się, kiedy go widzieli, także przez szacunek, bo przecież on też był największy. Pamiętam historię z moich 50. urodzin. Organizowałem większą imprezę i prosiłem Krysię Prońko, żeby coś zaśpiewała. Przyjechała z pianistą, byłem jej bardzo wdzięczny. Krysia nie wiedziała, że na imprezie będzie też Wojtek. W pewnym momencie zobaczyła go na sali i natychmiast zdecydowała: – Muszę zaśpiewać „Poranne łzy"! W ostatniej chwili zmieniła repertuar, bo nie miała przygotowanej piosenki, którą on dla niej napisał. On tak wszystkich elektryzował, nawet w sytuacjach półprywatnych.

***

Pamiętam rodzaj pożegnania między nami, kiedy nagraliśmy ostatni odcinek programu „Cafe Fusy". Wiedzieliśmy, że już więcej go nie będzie i po czterech latach regularnych spotkań już nie będziemy się tak często widywać. W tym światku ludzie spotykają się przy jakimś przedsięwzięciu i rozchodzą, kiedy ono się kończy, kontakty są powierzchowne. Po tym ostatnim programie Wojtek zaproponował, że mnie odwiezie do domu, chociaż nigdy tego nie robił. I to był taki staroświecki rodzaj pożegnania. Bo i Wojtek był staroświecki. Dbał o swoje dziedzictwo, chętnie opowiadał o swoim pokrewieństwie z Arturem Rubinsteinem. Żartowaliśmy sobie wtedy z niego, bo to pokrewieństwo tak między nimi mówiąc, bądźmy szczerzy, było dalekie. Miał niesłychanie serdeczny stosunek do swojej mamy i winił się za to, że spędziła ostatnie dni w Skolimowie. Nie jest to przecież jakiś podły dom opieki, tylko Dom Artystów Weteranów Scen Polskich, matka Wojtka miała tam dobrze, jednak on i tak źle się czuł z tym, że nie potrafił zaopiekować się nią w domu.

***

Wojtek był chyba największym patriotą, jakiego znałem. Nawet pastisze miał patriotyczne. Jego słynna piosenka „Niedziela na Głównym", odpowiedź na francuski przebój „Niedziela na Orly", tak naprawdę była wyrazem przywiązania do tego, co nasze. Nie szydziła z naszego Głównego, nie znęcała się nad nim zanadto, z ciepłą ironią opowiadała o naszych prowincjonalnych realiach. Z tej piosenki nie wynika, że my jesteśmy gorsi, bo Francuzi mają Orly, a my mamy Główny. Raczej – oni mają tam, a my mamy tutaj. Jego patriotyzm nigdy nie był deklaratywny, zawsze był w tle, ale cała jego twórczość była nim przesiąknięta. Bo on pisał piosenki o nas i dla nas i za nas. Mówił w piosenkach naszymi słowami, a potem już my mówiliśmy jego słowami.

Tę samą postawę utrzymywał po roku 1989, obywatelską, zaangażowaną. Nie było to nadzwyczajne w jego pokoleniu, taka była ta generacja, jednak u Wojtka ta postawa cechowała się specjalnym natężeniem. On czuł się wychowawcą narodu. Był panem w klasie, na którego patrzyły wszystkie dzieci. Jego piosenki miały charakter edukacyjny, zawsze zawierały morał. Zauważmy, że nie używał w piosence podstawowego środka, jakim jest powtarzający się refren, u niego każda wersja refrenu była nieco inna. Myślę, że to był świadomy zabieg artystyczny, pokazujący, że możemy wyrwać się z tej matni, w której żyliśmy w czasach PRL. Mieliśmy wtedy poczucie, że biegniemy w kołowrotku, z którego nie ma wyjścia, a ten zmieniający się refren był próbą pokazania, że nawet pozornie na zawsze zamknięta forma się jednak modyfikuje.

Wojtek nigdy nie zostawił słuchacza w złym nastroju. Nawet jeśli cała piosenka opisywała jakieś koszmary, to taka nie mogła być puenta. Zostawiał otwarte żartobliwe furtki, żebyśmy uciekli z tej matni, w której się znaleźliśmy. Już jako młody autor z Hybryd pomógł Polakom przeżyć Gomułkę, bo to ten przywódca był tą babcią, a „Po co babcię denerwować, niech się babcia cieszy". W stanie wojennym pocieszał nas: „Sąsiedzie, to jest tylko smutne

miasteczko, ono sobie zaraz pojedzie". Spusz-
czał z nas powietrze także w czasach wolności
– „Waza zbiła się etruska, wina Tuska".

***

Choć piosenki, które sam wykonywał,
były znacznie trudniejsze i mniej popularne
od przebojów, które pisał dla wykonawców estradowych, to jak na tak niełatwy materiał też
miały niesłychaną popularność. W dzisiejszych
czasach artyści raczej starają się być pół kroku
za widzem, żeby nie było dla niego za trudno,
bo może wtedy się zniechęcić. Dawniej było
odwrotnie, artyści byli o pół kroku przed nim.
Nie tak, żeby widz nic nie rozumiał, bo wtedy
nie byłoby z nim żadnego kontaktu, ale żeby
choć troszeczkę nie rozumiał i starał się trochę podciągnąć. Wojtek też konstruował swoje
piosenki w ten sposób. Jednak pewnie nie dlatego były popularne. Pisał tak, żeby w piosence
znaleźli coś dla siebie słuchacze i lepiej, i gorzej

wykształceni. Tych drugich było oczywiście mniej.

Nie tylko piosenki Wojtka były popularne, on sam także. Jako dziecko jeździłem na wczasy do Jastarni. A właśnie tam swoje wakacje spędzała regularnie rodzina państwa Młynarskich. Widziałem, jakie emocje budzi Wojtek wśród ludzi, jaką sensację wywołuje jego obecność na ulicy. Ciekawe, że nie jeździł do pobliskiej elitarnej Juraty, do której ciągnęła warszawska bohema estradowa i filmowa. On zatrzymywał się w nieco plebejskiej Jastarni. Wolał to niż wchodzić w zamknięty towarzyski światek. Lubił być między ludźmi. Kończyło to się tym, że znali go wszyscy warszawscy menele. Podchodzili do niego i mówili: „Panie Wojtku, widzieliśmy pana wczoraj w telewizji...", a on, chociaż wiedział dobrze, że nie było go wczoraj w telewizji, dawał im dwa złote. To był rytuał.

***

Miał potrzebę wychowywania młodzieży, dawał wskazówki rokującym artystom. Był przyzwyczajony, że młodzi byli zachwyceni, kiedy Młynarski się nimi zainteresował. A to się z czasem zmieniło. Kiedy ja go znałem, młodzi przed nim już tak nie salutowali. Wojtek dał komuś piosenkę, a tamten chciał jeszcze całą interpretację. I wymaga, pilnuje, żeby dostać to, na czym mu dokładnie zależy. Wojtek nie był do tego przyzwyczajony. Był mało odporny na brak entuzjazmu wobec swoich tekstów. Kiedyś powiedział Kayah, w szczycie jej popularności, że napisze jej piosenkę. Był to z jego strony wielki gest, bo sam to zaproponował. A Kayah odpowiedziała, że dziękuje, ale ona sama sobie musi pisać teksty, bo ona myśli i czuje jak kobieta, a on tego nie potrafi. Miała swoje racje, ja to rozumiem. Jeżeli ktoś przychodzi na rynek muzyczny, na którym od 30 lat wszystkim pisze teksty Młynarski, to chce czegoś nowego.

Rozumiem więc Kayah, jednak dla Wojtka jej odmowa i tłumaczenie były strasznie trudne do przeżycia. Przecież on pisał za kobiety, za mężczyzn i za dzieci, co to za argument, że nie będzie umiał się w nią wczuć! Tyle piosenkarek zrobiło karierę na jego tekstach. I nagle okazał się im niepotrzebny.

W ostatnich latach trudno mu było żyć w zgodzie ze światem. Przeżywał, że to już nie jest to Opole co kiedyś. Tak jakby to nowe Opole wszystko mu w życiu psuło, bo on pamiętał festiwale, kiedy na scenie królowały dobrze napisane piosenki i porządnie skomponowana muzyka, nawet jeśli to były proste melodie. A teraz – publiczność nie taka, czego innego chce, piosenki bez sensu, Ewa Demarczyk na pewno by teraz nagrody tam nie dostała. A potem coraz mocniej miał poczucie, że to już nie jest jego świat. Nie miał o to do nikogo pretensji, tylko się wycofywał. Z roku na rok było widać, że już coraz mocniej się wycofuje. Chociaż kiedy zespół Raz Dwa Trzy nagrał płytę

„Młynarski" z jego piosenkami, podobało mu się to, mimo że musiał pogodzić się z zupełnie innymi wykonaniami niż jego, co nie było dla niego łatwe.

***

Z czasem coraz trudniej było mi się spotykać z Wojtkiem. Zmienił się pod wpływem leków. Już nawet nie uśmiechał się oczami. Bywał zgorzkniały. Jednak ten charakterystyczny dla dawnego Młynarskiego błysk wciąż w nim tkwił. Kiedy w 2012 roku pisaliśmy z Jerzym Bralczykiem książkę „Kiełbasa i sznurek", zaproponowałem wydawnictwu, żeby blurb na okładkę napisał nam Wojtek. Pomysł bardzo się spodobał, ale oczywiście ja musiałem zadzwonić i poprosić, bo nikt nie miał odwagi, Młynarski budził respekt. Zadzwoniłem więc, a Wojtek natychmiast powiedział, że oczywiście napisze, musi jednak najpierw tę książkę przeczytać. Cały Wojtek, myślę, że wielu autorów nie potrzebowałoby czytać książki, żeby napisać blurb, ale on musiał. W wydawnictwie natychmiast wybuchły więc kłótnie, kto do niego pojedzie zawieźć tę książkę, bo teraz, kiedy już wiadomo było, że się zgodził, każdy chciał go poznać. Pojechał w końcu redaktor prowadzący. Wojtek dostał książkę, wieczorem ją przeczytał i wierzę, że przeczytał w całości, a następnego dnia rano napisał wierszyk, który zaczynał się tak:

Miłe Panie i Panowie bardzo mili,
utworzycie wielbicieli spory chórek,
gdy będziecie obcowali z książką, którą napisali
świetni dwaj Panowie – Bralczyk i Ogórek.

Zrobił to oczywiście za darmo, przecież żadnego honorarium mu nie mogliśmy zaproponować. Byliśmy mu niesłychanie wdzięczni i kiedy książka wyszła, chcieliśmy go zaprosić na obiad. Już nawet umówiliśmy się na konkretny dzień, ale on tego dnia rano zadzwonił i pod jakimś pretekstem odmówił spotkania, jasne jednak było, że nie chce przyjść. Bał się chyba, nie lubił chodzić w miejsca publiczne, unikał kontaktu z ludźmi.

***

Ale – jak to miał w zwyczaju – i mnie nie zostawił w ponurym nastroju i przede mną otworzył żartobliwą furtkę. Zostawił mi wierszowany przepis na życie:

Porą zimową i w czas letni,
Ogórku pięćdziesięcioletni,
Michale złoty,
dalej odwagę miej i siłę,
by zwalczać w naszym kraju miłym
pawia głupoty.

Wszystko tu jest: Wojtek jako serdeczny nauczyciel, który wyznacza zadania, i „kraj miły", i bojowe nastawienie… W każdym jego wersie zamknięty jest on cały.

Do Młynarskiego nie wypadało wyjść z dziadostwem

Artur Andrus

Rok 1992, późna jesień, Uniwersytet Warszawski, trzeci rok dziennikarstwa ma zajęcia z pracowni radiowej. Dostają zadanie na zaliczenie semestru zimowego – przygotowanie własnego materiału na temat świąt, sylwestra i Nowego Roku. Student Artur Andrus wpada na pomysł, że wykorzysta tę okazję, by poznać Wojciecha Młynarskiego. Od dawna chciał go poznać, ale nie miał pretekstu. No bo jak, podszedłby i powiedział: „Wie pan, siedem razy byłem na pańskim »Hemarze« w teatrze Ateneum za własne studenckie pieniądze, to teraz chciałbym w związku z tym pana poznać"? To zaliczenie natomiast stworzyło doskonały pretekst.

Zadzwonił do teatru Ateneum i poprosił o połączenie z Wojciechem Młynarskim. Połączono go, a Młynarski odebrał. Rzucił krótko, trochę szorstko: „halo". Głos w telefonie byłby zniecierpliwiony, gdyby teraz zaczęło się długie tłumaczenie, wodolejstwo. Po tym głosie było słychać, że należy mówić szybko, konkretnie i do rzeczy. Artur Andrus przedstawił się jako student dziennikarstwa i wyjaśnił, że chciałby na zaliczenie semestru nagrać rozmowę o świętach, sylwestrze, Nowym Roku i czy pan się zgodzi.

Młynarski, nadal krótko i trochę szorstko, odpowiedział, że tak, i szybko podał datę i godzinę spotkania u siebie w teatrze. Nie zdziwiło go, że student zapytał, czy może przyjść z nim kolega fotograf.

– Wtedy z dziennikarzami radiowymi na wywiady nie chodzili fotografowie – zauważa Artur Andrus, wspominając to spotkanie. W Polsce wciąż trwała era przedinternetowa, wprawdzie właśnie kraj został już oficjalnie przyłączony do międzynarodowej sieci, jednak do startu pierwszych portali informacyjnych było jeszcze daleko. Po co więc studentowi dziennikarstwa, który przygotowuje wywiad do radia, fotograf, skoro rozmowy i tak nie będzie można zobaczyć? Młynarski nie zapytał, tylko się zgodził. A Andrus ucieszył się, bo bardzo chciał mieć zdjęcie z tego spotkania. Nawet nie chodziło mu o wspólne zdjęcie, które mógłby pokazywać kolegom.

– Chodziło mi o to, żeby na tym zdjęciu był on, na pamiątkę – opowiada.

Młodość ma swoje prawa, w tym bezczelność. Andrus wymyślił, że pierwsze pytanie zada mistrzowi rymowanego tekstu wierszem.

– Wpadłem na pomysł, że napiszę pytanie pod rytm jego śpiewanych felietonów: „Miłe panie i panowie bardzo mili…", a dalej zapytam o święta – opowiada. – Teraz już bym się na coś takiego nie odważył, żeby iść do mistrza i zadać mu pytanie, naśladując jego styl i rytm.

Umówionego dnia student z magnetofonem i jego kolega z aparatem zapukali do drzwi

w umówionym miejscu. Weszli, usiedli. Student
zapytał Młynarskiego, czy ktoś mu zadawał już
pytania wierszem. Nie, nikt nie wpadł na taki
pomysł. Wobec tego student zaczął: „Miłe panie
i panowie bardzo mili..." i zapytał rymem Wojciecha Młynarskiego, jakie życzenia złożyłby słu-
chaczom na święta, sylwestra i Nowy Rok.

– Zaraz, czy to pan sam napisał? – Młynarski był najwyraźniej sympatycznie zaskoczony.
– No to gratuluję, to jest ładnie napisane. I chciałem powiedzieć, że...

– I dokładnie w tym samym rytmie odpowiedział – opowiada Artur Andrus. – „Miłe
panie i panowie bardzo mili, takie skojarzenia
mnie czasami gryzą..." Okazało się, że miał gotowe wersy, które ładnie się ułożyły w rymowaną
rozmowę.

A student, kiedy przyniósł do radia
przy ulicy Myśliwieckiej 3/5/7 materiał na zaliczenie, dostał propozycję prowadzenia audycji
poświęconej piosence satyrycznej. Złożył mu ją,
po przesłuchaniu nagrania, dyrektor Czwartego

Programu Krzysztof Górski. Jak się później okazało, dyrektor był miłośnikiem piosenek Wojciecha Młynarskiego. – Pewnie na kimś, komu Młynarski był obojętny, moja praca aż takiego wrażenia by nie zrobiła – mówi Andrus. – Mogę więc śmiało powiedzieć, że pracę w radiu zawdzięczam Młynarskiemu.

***

– Nie mam pojęcia, skąd się u mnie wzięła fascynacja Młynarskim, między nim a mną była przecież różnica pokolenia, mógłby być moim ojcem – zastanawia się Artur Andrus. Jego rówieśnicy słuchali Limahla, Wham, Lady Pank. A on uwielbiał Młynarskiego.

Gdyby Andrus wychowywał się naprzeciwko teatru Ateneum i jako nastolatek spędzał tam wszystkie wolne wieczory albo chociaż gdyby w domu leżały płyty Młynarskiego i z braku innych możliwości osłuchał się z nimi od dziecka... Ale nie. On mieszkał w Sanoku, a Młynarskiego usłyszał po raz pierwszy, jak większość ludzi w jego wieku, w radiu albo w telewizji.

– Mieszkałem nad Jeziorem Solińskim. Z telewizji docierała tam tylko Jedynka, bo Dwójka nie miała już zasięgu – mówi. – A mimo to poznałem piosenki Młynarskiego i zachwyciłem się.

Kiedy w sklepie muzycznym w Sanoku pojawiło się coś Młynarskiego, natychmiast kupował za własne kieszonkowe. A poważnie: – Po prostu tak mnie trafiło. To była fascynacja. I przyszła sama, bez żadnej podpowiedzi, nikt znajomy mnie nią nie zaraził.

Kiedy jego ojciec kupił pierwszy magnetowid, nagrywał z telewizji na kasety wideo recitale Młynarskiego. Kiedy w szkolnym radiowęźle uczniowie robili audycje, koledzy puszczali The Doors albo Metallicę, a Andrus puszczał Młynarskiego. Koledzy ponoć traktowali jego repertuar jako sympatyczne dziwactwo, nie śmiali się z niego. Andrus jednak znał granice, na szkolnych dyskotekach nie kazał ludziom tańczyć do

„Niedzieli na Głównym". Jednak już na wyciecz-
kach szkolnych, kiedy za pomocą dwóch chwy-
tów próbował zagrać na gitarze jakąś piosenkę,
było to zawsze coś Młynarskiego. Nikt nie pro-
testował, nawet się podobało. Kółko miłośników
Wojciecha Młynarskiego wprawdzie w liceum
w Sanoku nie powstało, ale powszechnie było
wiadomo, że jeden z uczniów ma szajbę na jego
punkcie.

Młynarski był za trudny dla dziesięcio-
latka, a i dla nastolatka też. Andrus nie rozumiał
wielu odniesień i kontekstów.

– Jednak geniusz Młynarskiego polegał
na tym, że jego teksty były atrakcyjne zarówno dla tych, którzy go rozumieli, jak i dla tych,
którzy nie zauważali drugiego dna, nie chwytali
aluzji – tłumaczy. Kiedy więc Młynarski napisał
piosenkę „Po co babcię denerwować", to nawet
jeśli ktoś nie zrozumiał, kto jest tą prawdziwą
babcią i w jakim kontekście politycznym powstał
tekst, może śmieszyć go sama historia opisana
w tej piosence. Do efektu komicznego wystarczy

już opowieść o rodzinie, która upiększa i naciąga babci rzeczywistość, nie kłamie, ale i prawdy nie mówi, drukuje fałszywe gazety, żeby babcia nie czytała prawdziwych, bo po co babcię denerwować. Jeśli ktoś jednak skojarzy, że piosenka powstała za Gomułki, że była wtedy cenzura, propaganda i że pisało się między wierszami, to śmieszna piosenka staje się odważną satyrą dla bardziej wyrobionego odbiorcy.

– Młynarski zawsze operował tekstem na kilku poziomach – mówi Andrus.

***

Artur Andrus miał w sobie odrobinę rozsądku. Po pierwszym spotkaniu z Młynarskim nie oczekiwał, że zostaną znajomymi. Jednak zastanawiając się nad miejscem na wakacje, wybrał Jastarnię, bo dowiedział się od koleżanki, że mistrz też zawsze tam jeździ. Nie zamierzał oczywiście go śledzić, ale pomyślał, że fajnie by było spotkać go na deptaku. Powiedziałby „Dzień dobry" i może okazałoby się, że Młynarski pamięta tego studenta, co mu zadawał rymowane pytania... Był w Jastarni w sumie kilka razy, ale tylko raz w tym samym czasie był tam też Młynarski. Przypadkowe spotkania w okolicy zaczynały się i kończyły na: „Dzień dobry, co słychać, coś wieje dzisiaj". Niby drobiazg, ale miło.

– Dla mnie przeżyciem było już to, że facet, którego uważam za geniusza, nagle staje i rozmawia ze mną – mówi.

A już kilka lat później zapraszał Młynarskiego do audycji jako gościa, z którym prowadził rozmowę, nadając w przerwach jego piosenki. Zauważył, że w radiu nikt na bieżąco nie wykorzystuje twórczości Młynarskiego, podczas gdy on cały czas coś pisze. Jego teksty pojawiają się w „Życiu Warszawy", w innych pismach.

– Stwierdziłem, że trzeba mieć radiową wersję tej twórczości – opowiada Andrus. – Zapytałem, czy chciałby przychodzić i nagrywać raz na jakiś czas do mojej audycji wierszyki drukowane w gazecie. I on się zgodził. Nagrał ich kilkadziesiąt, kilka też napisał specjalnie do radia. Nagrywaliśmy też jego nowe piosenki. Wszystko zostało w archiwum.

***

Pod koniec lat 90. Wojciech Młynarski zaczął prowadzić w „Życiu Warszawy" kolumnę satyryczną, która ukazywała się raz w tygodniu. Do zespołu zaprosił Anatola Potemkowskiego, Marię Czubaszek i Zbigniewa Jujkę.

– Miał jakąś tęsknotę za fermentem intelektualnym – opowiada Artur Andrus. – Chciał, żeby coś powstawało, żeby tworzyły się twórcze grupy. Jeśli nie miał chwilowo grupy, dla której pisałby coś do kabaretu czy do teatru, to przynajmniej niech to będzie zespół redakcyjny, który będzie tworzył rubrykę satyryczną.

Andrus miał już na koncie pierwsze teksty publikowane w gazetach i radiu.

– Młynarskiemu bym ich nie pokazał – mówi. – Bałbym się, że oceni mnie krytycznie, i co ja bym wtedy zrobił? Gdyby ktoś inny mi powiedział, że to jest słabe, tobym się za bardzo pewnie nie przejął. Gdyby jednak powiedział to Młynarski, byłoby po wszystkim. Prawdopodobnie przestałbym pisać.

Kolumna, którą prowadził Młynarski, nosiła tytuł „Och Ty, w »Życiu Warszawy«!". Andrus nie pamięta już dokładnie, kto zaprosił go do tego, by też do niej pisywał, Maria Czubaszek czy sam Młynarski. Pewne jest, że został zauważony i dostał zadanie: co tydzień przynieść swój tekst.

– To był nieprawdopodobny stres – wspomina. – Wiedziałem przecież, że on będzie to czytał i będzie decydował, które teksty wchodzą.

Co tydzień spotykali się w redakcji. Andrus przynosił swoje teksty, a Młynarski mówił: „Tu jeszcze popraw, a to jest dobre". Kiedyś nie mógł wymyślić nic śmiesznego i przyniósł liryczny wiersz. Nie zrobił tego, żeby pokazać się od lirycznej strony, po prostu niczego innego nie miał.

Od krytyki bał się bardziej tylko tego, że będzie
musiał się do tego przyznać. W zespole panowała
zasada, że każdy czyta swój tekst na głos. Andrus
przeczytał więc wiersz i odłożył kartkę.

    – Młynarski to zauważył i mówi: „Za-
raz, zaraz, a co ty tak chowasz? Dawaj to tutaj"
– opowiada. – I dostałem od niego za ten wiersz
jakieś dobre słowo. To był szok, bo Młynarski
nie miał zwyczaju chwalić. W mojej obecności
z pełnym przekonaniem i wprost wyrażał bardzo
dobre zdanie tylko o jednym człowieku. O An-
drzeju Poniedzielskim.

    Krytykować potrafił lepiej. Był perfek-
cjonistą, nie znosił bylejakości. Artyści truchleli,
kiedy mieli wykonywać przy nim jego piosenkę.
Andrus zrozumiał, co czują, kiedy śpiewał jego
„Przedostatni walc" na Festiwalu Twórczości Ko-
rowód w Krakowie. Gala poświęcona była pio-
senkom Młynarskiego. Andrus ją prowadził, ale
okazało się, że będzie też śpiewać. – Byłem ze-
stresowany, bo w tym tekście jest parę zawiłości,
a ja miewam problemy z uczeniem się cudzych

tekstów – wspomina. – I oczywiście pochrzani-
łem to w trakcie wykonywania. Pogubiłem się,
próbowałem się ratować, co tylko pogorszyło
sprawę... A wiem, że to jest jedna z ważniejszych
piosenek Wojtka. Stałem na tej scenie, prowadzi-
łem galę i myślałem: „Ale mi się dostanie...". Na
szczęście mnie oszczędził. Łagodnie przemilczał.

Obecność Młynarskiego na sali powodo-
wała mobilizację, do Młynarskiego nie wypadało
wyjść z dziadostwem. Trzeba było się spiąć nawet wtedy, kiedy miało się zły nastrój czy kiepską
formę.

Andrus opowiada: – Po jego śmierci
przyszło mi nawet do głowy, że już nie będziemy
tak się starać, bo jego nie ma. Ludzie się przy nim
spinali, bo wiedzieli, że on ma wymagania nie
tylko wobec innych, ale przede wszystkim wobec
siebie. Jemu się nie zdarzyło świadomie napisać
słabszego tekstu i dać go, niech idzie, byle mieć
to z głowy. Nie odpuszczał. Poprosiłem niedawno
Jacka Bończyka, żeby zaśpiewał w radiu piosenkę, którą napisałem. Formuła tych piosenek jest

taka, że powstają szybko, na podstawie bieżących informacji, które pojawiają się u nas na antenie. Mieliśmy już nagrywać, a ja jeszcze znalazłem ze trzy słowa do zmiany, biorę kartkę, zmieniam, a Jacek na to ze śmiechem: „Jakbym widział Młynarskiego". I opowiada taką historyjkę – trwają przygotowania do spektaklu, już ma nauczony tekst, muzycy już zaczynają ćwiczyć, a Młynarski przynosi mu nową wersję i mówi: „Ta zwrotka ma być zmieniona, o tu". Po kilku zagranych spektaklach znowu zmienia ten fragment. Szlifuje do skutku.

Młynarskiemu nie mieściło się w głowie, że można machnąć ręką i powiedzieć: „A dobra, niech już jest, jak jest, trudno". Taki miał charakter i tak był nauczony, że nie wypada zrobić czegoś źle. Poważne podejście do pracy to była kwestia kultury i dobrego wychowania. Powtarzał historię o Kazimierzu Rudzkim, który w Hybrydach uczył młodych wykonawców i mówił im: „Panowie, zanim wyjdziecie na scenę, wyobraźcie sobie, że tam na sali siedzi jeden człowiek znacznie od was inteligentniejszy i jego właśnie spróbujcie zaskoczyć najbardziej. Nie równajcie do gorszych, tylko starajcie się równać do kogoś lepszego".

– I Wojtek tak był właśnie wychowany, to była jego cecha charakterystyczna – mówi Andrus. – Dlatego myślę, że trudno było mu się dostosować do stylu pracy w nowych czasach. Współczesne czasy były dla niego za bardzo byle jakie. To nie o to chodzi, że on był powolny. Absolutnie nie, byłby w stanie napisać 15–20-minutowy program raz na tydzień i to też byłoby dobre. Tylko że Wojtek na to nie szedł.

On zbierał grupę ludzi, lubił współpracę. W pracy zbiorowej wszystko było porządnie przemyślane, napisane, sprawdzone i dopiero potem wypuszczone w świat. Teraz artyści tworzą osobno, nie spotykają się ze sobą, nie dyskutują. Młynarskiego to denerwowało. Drażniło go zwłaszcza, gdy ktoś wypuszczał półprodukt, który powstał na bazie dobrego pomysłu, licząc na to, że tym pomysłem się obroni. Przecież można było nad tym popracować, pogadać, poprawić to.

Był wymagający, ale i szczodry. Lubił promować młodych artystów. Zadzwonił kiedyś do Andrusa i zapytał: „Jest taka młoda dziewczyna, która świetnie śpiewa, i trzeba byłoby nagrać coś do radia, nie masz może możliwości, żeby zarezerwować studio?". Tą dziewczyną była Anna Maria Jopek. Napisał jej kilka tekstów, bo zachwycił się tym, jak śpiewa. Kiedy Jopek nagrywała, Młynarski pilnował. Angażował się od początku do końca, poprawiał, dawał uwagi. Lubił wiedzieć, co się dzieje z jego piosenką, kiedy on ją skończy.

***

Jego nie można było krytykować. Był wrażliwy na punkcie swojej twórczości. Na jednym z redakcyjnych spotkań w „Życiu Warszawy" czytał swój tekst.

– Każdy po kolei czytał, ale oczywiście kiedy robił to Wojtek, zazwyczaj wpadało się w zachwyt – opowiada Andrus. – Jednak pewnego razu Anatol Potemkowski pozwolił sobie na uwagę: „Wiesz, mnie się ta puenta nie podoba". A Młynarskiemu nie spodobała się krytyka. „Ale co ci się, Anatol, nie podoba?" – powtarzał coraz gniewniej. Zrobiło się niemiło. Na szczęście Maria Czubaszek jakimś absurdalnym tekstem zmieniła temat i sytuacja wróciła do normy.

Andrus: – Według mnie Młynarski miał pełne prawo być czuły na swoim punkcie, ja go uważam za geniusza. W jego każdym tekście jest błysk, coś, czego człowiek się nie spodziewa. Oczywiście można to analizować warsztatowo, że tu perfekcyjnie słowa dobrane, rytm taki fantastyczny, ale dla mnie to nie ma znaczenia. Prawie każda jego piosenka, bez względu na to, czy satyryczna, czy liryczna, wywołuje we mnie zachwyt, nawet ta konfekcja piosenkowa tworzona na estradę. Może i lekka, łatwa i przyjemna, ale jak to jest napisane! Słuchając go, myślę często: „Na takie skojarzenie tylko on mógł wpaść".

Młynarski wiedział, że jest dobry. Jednak pod koniec życia czuł się rozgoryczony. Napisał gorzki tekst „Notatka w sprawie starych ludzi". Pisze, że boi się być niepotrzebny.

– W ostatnim czasie już się z nim rzadziej spotykałem, przy sporadycznych spotkaniach niezbyt długo rozmawialiśmy, ale mam wrażenie, że najtrudniejszy był dla niego moment, kiedy musiał zrezygnować z występów – mówi Andrus. – Byłem wiele razy na jego recitalach i widziałem, że to naprawdę jest jego żywioł. Stanąć przed publicznością, śpiewać i słyszeć, jak publiczność reaguje, to mu dawało nieprawdopodobny napęd. A on, jak to on, wciąż się starał. Na każdy kolejny recital szykował nowe teksty. Przypuszczam, że zejście ze sceny było dla niego największym ciosem. Pisać mógł dalej, ale co z tego, kiedy nie miał kontaktu z natychmiastową reakcją słuchaczy.

Młynarski
stworzył postać
Młynarskiego

Prof. Jerzy Bralczyk

Piosenki Wojciecha Młynarskiego mają specyficzny język. Każdy na pewno to widzi, jednak nie każdy potrafi wytłumaczyć, co wyróżnia ten język. Jakby pan to określił?

Wojciech Młynarski potrafił nadać formę językową czemuś, co było trudne do wyrażenia, co zresztą jest przywilejem dobrych poetów. Z drugiej strony potrafił z jakiejś formuły wyciągnąć różnego rodzaju znaczenia. W jego piosenkach pojawiają się zarówno cytaty z mowy potocznej, jak i przysłowia czy powiedzenia, które później – ilustrowane anegdotą, zdarzeniem, logicznym, czasem nawet paradoksalnym rozwinięciem – dają efekt artystyczny. U Młynarskiego sprawdziło się też znakomicie operowanie w piosence niebanalnym rymem.

Także u Jeremiego Przybory ceniliśmy rym, który jest wartością samą w sobie. Na ogół w poezji i piosence rym jest rzeczą dość oczywistą, ale jeżeli jest ciekawy, daje do myślenia.

Teksty Młynarskiego cechuje wrażliwość muzyczna. Te słowa z muzyką dają efekt synergii. Nie jest to tylko wartość sumy, jaką dają melodia i słowa. Tu jest wartość dodana, wynikająca z połączenia obu tych elementów. Niezwykle ciekawe są też w jego twórczości inspiracje muzyczne. A to menuet Boccheriniego, ujęty w słowa piosenki o obiedzie rodzinnym spożywanym w sielskiej atmosferze i już jako taki szalenie zabawny, albo w ogóle odwołania do muzyki klasycznej zawarte w tekście i melodii. A to nawiązanie do marszu Mendelssohna w „Ach, co to był za ślub".

Twórczość dla inteligencji...

On sam pisał o inteligencji, żeby nas nie opuszczała... ale ja bym jego twórczości tak nie klasyfikował i nie ograniczał. Zresztą pojęcie inteligencji jest wątpliwe społecznie. Inteligencja oczywiście istnieje jako cecha naszego umysłu, ale jako grupa społeczna... I nie wydaje mi się, żeby jego teksty były wyraźnie do niej adresowane. Jeśli już, to adresował je raczej do ludzi wrażliwych. Jeśli ich nazwiemy inteligencją, proszę bardzo, to będzie pasowało.

Opery dawniej w dużej mierze były adresowane także do ludzi prostych. Wtedy ludzie byli wrażliwi artystycznie. Na przedstawienia w Szekspirowskim Globe przychodzili mieszczanie, ludzie prości, trudno byłoby ich nazwać z dzisiejszej perspektywy inteligencją. Jednak rozumieli to, co oglądali. Uważam zresztą, że rozdzielenie twórczości na wyższą i niższą nie zawsze jest wskazane. Są tacy, którzy gardzą sztuką niższą, a także ci, którzy lekceważą sztukę wyższą jako nieodpowiadającą żadnym realnym zapotrzebowaniom społecznym, jako pięknoduchostwo. Dlatego wolałbym myśleć, że Młynarski był dla tych, którzy go słuchali. To ładna formuła Reja, który napisał w tytule

jednego z utworów: „Do tego, co to będzie
czedł". Czyli do tych, którzy to będą czyta-
li. W przypadku Młynarskiego to jest do tych,
którzy będą go słuchali. Był trochę starszy ode
mnie, więc jako młody człowiek mogłem już
słuchać jego wczesnych utworów, kto wie, czy
nie najlepszych.

Jednak nie każdy, kto słucha,
może zrozumieć jego cytaty.
Dobre wykształcenie w tym pomaga.
  Są różne poziomy rozumienia cytatu.
Już rozpoznanie go jako cytatu to jest dużo.
I o to raczej Młynarski dbał. U niego, czy to
z wykonania, czy nawet z umieszczenia jakiejś
frazy wewnątrz tekstu wynikało, że to jest ele-
ment cytowany. Zresztą te cytaty były i z mowy
potocznej. I traktowanie ich na równi z cyta-
tami innymi trochę bawi, a z drugiej strony
też cieszy. Cieszenie i bawienie to dwie różne
rzeczy. Bawienie to humor, a cieszenie to także przyjemność wynikająca z rozpoznawania

jakichś atrakcyjnych sformułowań. Wtedy się cieszymy, że coś takiego jest. Otóż Młynarski i bawił, i cieszył. Czasami cieszył przez to, że bawił, ale nie tylko, także przez to, że na przykład znajdowaliśmy nowe połączenia słów.

Młynarski cytuje nie tylko tak, że daje się to rozpoznać w zapisie, ale też przez artykulację. Ci, którzy czytają jego teksty, w ogromnej części przypominają sobie, jak on je wykonywał, słyszą je. Nie potrafimy zapisać tego, co może się zmieścić w naszej intonacji, nie mamy tylu znaków interpunkcyjnych, żeby można było nimi pokazać różnicę. Brzmienia słów „dla sympatycznej panny Krysi" w wykonaniu Młynarskiego nie da się zapisać. Miał znakomitych wykonawców, jak Gołas chociażby, ale najbardziej lubiłem, jak on sam śpiewał.

Widać wtedy, że miał zdolności aktorskie.

Dobry piosenkarz, a myślę, że także i poeta, jest w pewnym sensie aktorem. Tak jak aktor może być uważany za poetę przez wykonywanie tekstów poetyckich. Bo poezja to jest też coś słuchanego, mówionego, nie tylko pisanego. W twórczości poetyckiej jest coś w rodzaju aktorstwa. Jest taki ładny króciutki wiersz, który napisał zresztą aktor Wojciech Pszoniak, że być aktorem, a także być poetą, czyli napisać wiersz, to po trosze przyznać się do czegoś. Tak samo jest w budowaniu postaci przez aktora, to też jest takie ujawnienie czegoś z siebie. Dobry poeta daje coś z siebie, to jest pewien oryginalny sposób widzenia świata. Aktor też daje coś z siebie.

Młynarski śpiewał. Mógłby to mówić. Byli tacy satyrycy, którzy mówili, i w tym mówieniu było coś w rodzaju melodii. Ważny dla mojego pokolenia satyryk Marian Załucki mówił w specjalny sposób, szczególnie dopowiadając tylko puenty. Ten rodzaj mówienia był dla niego bardzo charakterystyczny. „Postanowiłem dać anons do dziennika. Odpowiednio duży, by uwagę skupiał. Chcę zostać porządnym człowiekiem. Poszukuję wspólnika. Sam się nie będę wygłupiał". No i to trzeba usłyszeć. Jest to owszem zabawne, kiedy się czyta, ale kiedy Załuckiego się słuchało, było to o wiele zabawniejsze. To kwestia interpretacji własnych wierszy. Młynarski także swoje wiersze specyficznie interpretował.

Był oczywiście aktorem. Zresztą tak był postrzegany artysta estradowy. Dziś to określenie może nie jest pojmowane pejoratywnie, ale pomniejsza. Młynarski był artystą estradowym w sensie szlachetnym. Jego estradowość i mówienie były wysokiej próby. Był to artysta, można by powiedzieć, multimodalny, operujący wieloma kanałami. Bo do tego, co już zostało powiedziane, trzeba dodać jego specyficzny uśmiech, który pojawiał się w niektórych piosenkach, czy wyraz twarzy w ogóle, poważny, ale z miłym błyskiem w oku. Jego figurę, jego poruszanie się. Wszystko to razem dawało, bardzo subtelnie zresztą, zarysowaną całość, w której my nie bardzo wiedzieliśmy, co w danym momencie odbieramy najbardziej. Czy bardziej jego sylwetkę, trochę przygarbioną, o specyficznych ruchach, czy jego twarz, w której czasem był kontrast między śmiejącymi się oczyma a nieruchomą dolną częścią, czy szczególną intonację, czy może niekoniecznie piosenkarski głos, ale w zestawieniu z tekstem szczególny. I tekst oczywiście, dla mnie przede wszystkim tekst. To wszystko dawało pełen obraz, pewnie i aktorski. Ludzie tworzą postaci. Młynarski stworzył postać Młynarskiego. Postać wieloaspektową.

Z wiekiem się zmieniał.

W pewnym momencie u Młynarskiego zaczęło pojawiać się wiele z tego, co potocznie nazywa się goryczą. W pierwszym okresie swojego życia, przy całej niechęci do PRL-owskiej codzienności, którą piętnował, znajdował we wszystkim pewne humorystyczne aspekty. Śmieszność, zabawność, to, co cieszy. Było to splecione. Gorycz pojawiała się po latach, po radości ze zmiany społecznej. Widać to w jego późniejszych wierszach. Kiedy spodziewamy się dużo dobrego i coś nas zawodzi, możemy czuć rozgoryczenie. I to było widać w wielu jego późniejszych wierszach, rozgoryczenie wynikające z konfrontacji tego, co mogłoby być, z tym, co jest.

Gorycz mogła wynikać i wynikała też z innych przyczyn. Starzejemy się, chorujemy. Mało jest ludzi, którzy potrafią się pogodnie godzić z własną starością, niemocą, słabością, a także nastrojami, którym przecież ulegamy. I stanem zdrowia. Rodzaj akceptacji czegoś, co nieuchronne, obserwowaliśmy u „Starszych Panów", którzy jednak jeszcze wtedy tacy starzy nie byli.

Młynarski sięgał trochę dalej. Był człowiekiem, chociaż brzmi to dzisiaj trochę archaicznie, zaangażowanym społecznie. Satyryk to bardzo szlachetna funkcja. Istotna społecznie, zwłaszcza jeżeli to jest łączone z pewnymi spełnieniami natury artystycznej wysokiego kalibru.

W końcu satyry pisali najwięksi poeci. Krasicki jest znany głównie z satyr właśnie. No, a satyryk to człowiek, który jest społecznie zaangażowany. Czasem mówiło się „difficile est saturam non scribere" – „trudno nie pisać satyr"... Satyra pozwala łatwiej znieść opresje, w które wpędza nas otoczenie i rzeczywistość. Taka satyra ma charakter odreagowujący. No i satyryk przemawia w imieniu społeczeństwa, to nie jest raczej kwestia indywidualnych przeżyć. Oczywiście poeci mogą dzielić się też indywidualnymi problemami, które w ten sposób zyskują wymiar generalny, ale satyra najczęściej dotyczy jakiejś sprawy społecznej. Każdy wiersz Młynarskiego może być tak interpretowany – że jest w jakiejś sprawie. On do końca pisał w jakiejś sprawie. Co poniektórym może się to wydawać osłabieniem autoteliczności sztuki, ale inni uznają (ja do nich należę) wartość takich zachowań. To jest, można by powiedzieć dalej, literatura zaangażowana. Pojęciem zaangażowania wycierano wszystko, co możliwe, w czasach Polski

Ludowej i zaczęło się nam ono kojarzyć nie najlepiej, jednak to było i jest coś bardzo potrzebnego.

Nie ograniczajmy jednak twórczości Młynarskiego do satyry. Jest u niego także bardzo wiele liryki prawdziwej. Liryki, choćby ubranej w codzienność, choćby w piosence o kartoflance biurowej, gdzie przecież jest sama liryka, tyle że w zestawieniu z rzeczami prostymi. Te postaci, te Żorżyki czy inne Zdzisie, to są postacie liryczne. Mieliśmy niewielu takich lirycznych żartownisiów, mówię o tym bardzo poważnie, bo to jest tradycja Gałczyńskiego. Absolutnie genialnego poety, który od czasu do czasu bywa przypominany jako ten, który dotykając czegokolwiek, robił z tego poezję.

Młynarski lubił te swoje postacie liryczne. Kiedy pisał „Bynajmniej" o młodym człowieku, który został zganiony przez obiekt swoich westchnień, to raczej był po jego stronie. Czyli po stronie tego, który wypowiedział się może niekoniecznie zgodnie z normami językowymi, ale był prawdziwy. To zresztą jeden z moich ulubionych tekstów, bo ważne jest, co się myśli, co się czuje, a że czasem nie potrafi się tego ująć w słowa... Różnie bywa. Młynarski umiał świetnie.

Mój najważniejszy autor

Alicja Majewska

K ończyłam to samo co Wojtek liceum imienia Tomasza Zana w Pruszkowie, tyle że kilka lat później – opowiada Alicja Majewska. – Po szkole krążyła opowieść o tym, jak Młynarski dwa miesiące przed maturą został wyrzucony ze szkoły. Doprowadził czymś do ostateczności dyrektora. Na szczęście sześć dni po wyrzuceniu Wojtka przywrócono i mógł zdawać maturę. Nie żył dobrze z dyrektorem, cieszył się natomiast ogromną sympatią pani profesor od języka polskiego, bo był na jej lekcjach prymusem. Spotkałam ją po latach, nie była już z Wojtka tak zadowolona jak w szkole. Zawiódł ją bardzo, bo zmarnował talent, jak uważała.

Miał być drugim Mickiewiczem, a pisał tylko piosenki. Tylko piosenki!

Pierwsze ich spotkanie miało miejsce na początku lat 70. Alicja Majewska opowiada: – Wojtek napisał piosenkę na cześć Wojciecha Fortuny, który zdobył na olimpiadzie złoty medal w skokach narciarskich, i zaśpiewał ją z zespołem wokalnym Partita. Brałam udział w nagraniu, śpiewając chórek do tej piosenki. Słuchając Młynarskiego, słyszałam wręcz świst nart Fortuny, bo tekst naszpikowany był efektami onomatopeicznymi. Jakiś czas później Wojtek napisał dla Partity tekst „Co wy o nas wiecie, chłopcy", więc można powiedzieć, że już wtedy śpiewałam piosenki Młynarskiego, ale nie jestem pewna, czy on o tym wiedział. To znaczy, czy zdawał sobie sprawę z mojego istnienia.

Na dobre poznali się w 1975 roku w Opolu. Majewska: – Pojechałam do Opola, żeby wystąpić na festiwalowym koncercie Debiuty. Miałam śpiewać piosenkę „Bywają takie dni" skomponowaną przez przyjaciela Wojtka,

Jerzego Derfla, do tekstu Ireneusza Iredyńskiego. A ponieważ Wojtek też występował w Opolu, więc tam był, kiedy miałam próby. Czułam śmiertelny strach, paraliżowała mnie trema, nie wierzyłam w siebie. Wojtek siedział na widowni. Zaśpiewałam, jakoś przetrwałam, kiedy skończyłam, zeszłam ze sceny. I wtedy podszedł do mnie Wojtek. Dał mi jakąś wskazówkę dotyczącą artykulacji, a potem dodał: „Słuchaj wujka, jest dobrze". W jego ustach to była zachęta do tego, żeby się dalej starać, a ja poczułam euforię. Wojtek pewnie uznał, że dobrze wypadnę, bo ściągnął wtedy do Opola Jerzego Derfla i jego żonę, którzy początkowo nie planowali przyjechać. Dobrze zrobił, bo Derfel i Iredyński otrzymali główną nagrodę festiwalu – oni jako twórcy, a ja przy okazji jako wykonawczyni.

**

Pierwszą piosenką, którą napisał dla niej Młynarski, była „Jeśli kocha cię ktoś" do muzyki Jerzego Derfla. A potem cała seria utworów pisanych do muzyki Włodzimierza Korcza: „Smutne do widzenia", „Wielki Targ", „Odkryjemy miłość nieznaną". Materiału było na tyle dużo, że Młynarski i Korcz postanowili zebrać go na wspólnej płycie. Kilku piosenek jednak jeszcze brakowało.

– I wtedy Wojtek poszperał w szufladach i wydobył tekst, który był wydrukowany w tomiku poezji, a nie było do niego muzyki – opowiada Alicja Majewska. – Przepiękny, „W miłości słowa nic nie znaczą". Była na tej płycie też piosenka, o której wiem, że Wojtek lubił ją szczególnie, „Winogrona późnym latem". Ten gatunek muzyki był mu bliski.

– Na płycie „Piosenki Korcza i Młynarskiego" jest też bardzo ważny w moim repertuarze utwór „Piosenki, z których się żyje", credo artystyczne każdego estradowca – wspomina dalej Majewska. – Wykonuję tę piosenkę z wielką satysfakcją od lat, chociaż została ona napisana dla Kaliny Jędrusik.

Opowiada: – Kalina Jędrusik była wybitną artystką teatralną i filmową, znaną między innymi z filmu Andrzeja Wajdy „Ziemia obiecana" czy z „Kabaretu Starszych Panów", występowała też często na estradzie. Młynarski napisał więc dla niej tekst o artystce estradowej jeżdżącej z koncertami od miasta do miasta, a Korcz skomponował muzykę w typie „Odkryjemy miłość nieznaną". Kalina zachwyciła się piosenką, ale wkrótce okazało się, że problemy ze zdrowiem nie pozwalają jej na takie śpiewanie jak wtedy, kiedy rozdzierająco wykonywała piosenki typu „SOS". Mijały lata i kiedy jasne stało się, że Kalina tego nie zaśpiewa, Wojtek zdecydował: „Bierzemy tę piosenkę na płytę Alicji". „Ale Kalina nas zabije" – zauważył Włodek. Wojtek na to: „Biorę to na siebie".

– To jednak nie koniec tej historii – opowiada dalej Majewska. – Kiedy Włodek zagrał mi tę piosenkę, ja jej nie poczułam. I już nie pamiętam, jak to było, czy to ja poprosiłam o zmianę, czy to była propozycja Włodka, w każdym razie przerobił tę muzykę na inną, znacznie spokojniejszą. I paradoksalnie z taką muzyką Kalina mogłaby śpiewać tę piosenkę od rana do wieczora. A Wojtek podobno później z bukietem w ręku na kolanach prosił Kalinę o przebaczenie. To, co wtedy od niej usłyszał, zupełnie nie nadaje się do druku… Mnie się jakoś upiekło, bo cieszyłam się sympatią Kaliny i na szczęście nie zepsuło to naszych relacji.

* * *

Piosenka życia Alicji Majewskiej też została napisana przez Młynarskiego i Korcza. „Jeszcze się tam żagiel bieli" to jej wizytówka. Od czasu, gdy dostała za nią nagrodę na festiwalach w Opolu i Rostocku, śpiewa ją na każdym recitalu.

– Wojtek był mistrzem w pisaniu tekstu do gotowej muzyki – mówi Alicja Majewska. – Utwór powstał na zadany temat, na festiwal w Rostocku, który nazywał się „Człowiek i morze". To moja najważniejsza piosenka. Powstała w specyficznym czasie, rok 1980, Solidarność, potem stan wojenny, emigracje, rozłąki. Pisały do mnie kobiety, które latami musiały czekać na powrót swoich mężczyzn i dla których pocieszeniem były słowa Młynarskiego o tym, że męska rzecz to być daleko, a kobieca wiernie czekać. Później śpiewałam „Żagiel" na Kubie po hiszpańsku, po rosyjsku w Związku Radzieckim, po niemiecku w NRD. Dzisiaj podczas występów już po pierwszych taktach słyszę oklaski i za każdym razem pamiętam, że to oklaski również dla Wojtka.

***

Druga najważniejsza dla Alicji Majewskiej piosenka z tekstem Młynarskiego powstała w bardzo oryginalnych okolicznościach. Opowiada: – Otóż Korcz z Młynarskim umyślili sobie, że Dance Błażejczyk potrzebny jest przebój. Napisali jej piosenkę dokładnie pod jej warunki głosowe.

Ale Danusia po usłyszeniu utworu była daleka od entuzjazmu. Z jakiegoś powodu po prostu się nie zachwyciła. Przychodzi do mnie Włodek i mówi: zobacz, napisaliśmy Dance przebój, a ona go nie chce.

– To zagraj mi ten swój przebój – mówię.

W połowie pierwszego refrenu wiedziałam, że muszę to zaśpiewać. Piosenka nosiła tytuł „Odkryjemy miłość nieznaną". Skończyło się tym, że oddałam Dance piosenkę, którą Korcz z Młynarskim napisali dla mnie, a sama zaśpiewałam tę, którą obaj panowie przeznaczyli dla niej. I obie wyjechałyśmy z Opola z nagrodami. Z tą piosenką wiąże się jeszcze jedna historia. Wojtek został bohaterem artykułu pewnego tabloidowego dziennikarza, który pod dramatycznym tytułem „Młynarski skrzywdził Majewską w Opolu" przytoczył moją zabawną z perspektywy lat anegdotę. Dotyczy ona kostiumu, jaki przygotowałam sobie na koncert festiwalowy, w którym śpiewałam „Odkryjemy miłość nieznaną". Modne było złoto. Wtedy z trudem zdobywało się wszelkie

materiały, ale ja zdobyłam gdzieś złote spodnie.
Krawcowa dniami i nocami przerabiała mi je na
wąską spódniczkę. Obszywała tym złotem gor-
secik. Miałam jeszcze złote buty. Włodek od
początku był przeciwny. Ja jednak uparłam się
i zamierzałam tak wystąpić. Założyłam kostium
na próbę generalną. Wyglądałam niezwykle efek-
townie. Wprawdzie gorset był przyciasny i z trudem mi się śpiewało, ale męska część orkiestry
była zachwycona. Po próbie przyszedł do mnie
Wojtek, jak się później okazało podpuszczony
przez Włodka, i mówi: świetnie zaśpiewałaś.
A masz może inną sukienkę?

Przed oczami stanęła mi ta biedna
krawcowa, która dniami i nocami przerabiała
mi spodnie. Zaczęło do mnie docierać, że chyba
Wojtek ma rację. Zrezygnowałam więc ze złotej
sukni. Na koncert założyłam beżowy, długi ba-
wełniany płaszcz, też modny. Czas pokazał, że
racja była po stronie Wojtka. Że piosenka i bez
złota obroniła się i jest jedną z najważniejszych
w moim repertuarze. A nawet kiedyś jedna pani

powiedziała mi, że z moich piosenek najbardziej lubi tę o Anglikach.

– Ależ ja nie śpiewam żadnej piosenki o Anglikach – zdziwiłam się.

– Jak to nie – mówi pani. – A miłowania głodni Anglicy?

Dopiero po chwili dotarło do mnie, że chodzi o piękny archaizm, jakiego Wojtek użył w refrenie: „miłowania głodni jak wilcy".

***

– Ceniłam go bardzo za mądrość, za trafność ocen, prostotę wyrażania mądrych myśli i przesłań – mówi Alicja Majewska. – Przy ogromie intelektu i wiedzy prostota przekazu była jego ogromną wartością i wyróżnikiem. Bardzo chciałam, żeby napisał jakiś tekst na moją ostatnią płytę, ale niestety nie było to już możliwe. Czuję się trochę jak sierota po Wojtku, bo przecież bez jego piosenek nie byłoby mnie na tym estradowym świecie.

Zaszczytem było mówienie mu „cześć"

Krzysztof Daukszewicz

Kabaret Na Pięterku. Wszyscy tam są. Jan Pietrzak, Tadeusz Drozda, Jerzy Dobrowolski, Jan Tadeusz Stanisławski, Stefan Friedman, od czasu do czasu zagląda tam Wojciech Młynarski. W 1978 roku po Na Pięterku rozgląda się onieśmielony Krzysztof Daukszewicz. Kilka miesięcy wcześniej przyjechał z rodzinnych Mazur, był tam dyrektorem domu kultury w Szczytnie, ale przede wszystkim występował w kabarecie Gwuść, już rozpoznawalnym, nagradzanym. Kiedy musiał wyjechać ze Szczytna do Warszawy, Gwuść sprawił, że dostał pracę w Na Pięterku.

– Wyjechać z domu kultury w niewielkim miasteczku i trafić od razu w takie towarzystwo to była bajka – opowiada Krzysztof Daukszewicz.

– Młynarski robił na mnie szczególne wrażenie, bardzo lubiłem jego piosenki i kiedy spotkałem go w kabarecie, od dawna była to dla mnie ważna postać. To był zaszczyt znaleźć się z nim w jednym gronie znajomych, które mówi sobie „cześć" na przywitanie.

Po kilku latach w kabarecie Daukszewicz został kierownikiem literackim w Teatrze Na Targówku, gdzie tworzył program kabaretowy. Młynarskiego zaczął spotykać ponownie w Opolu, gdzie jeździł jako wykonawca i wysłannik teatru.

– Młynarski w tym towarzystwie brylował, był jedną z najważniejszych osób – wspomina. – Przez cały czas otoczony wianuszkiem wielbicieli różnej płci. Przyciągał do siebie ludzi.

Opole to był wielki zjazd towarzyski. Zdarzały się oczywiście animozje, bo artyści rywalizowali o nagrody, jednak traktowali festiwal jako środowiskowe spotkanie towarzyskie.

Daukszewicz opowiada: – To była nieustająca balanga, nieustające spotkania, całonocne jam session, graliśmy i śpiewaliśmy do rana. Było rewelacyjnie. To było prawdziwe święto piosenki. Wszyscy byli na wyciągnięcie ręki, siedzieli razem w amfiteatrze, szli do baru. Tu siedział Janusz Gajos, tam Wojtek Młynarski, kawałek dalej Ala Majewska i Włodek Korcz. Towarzystwo spotykało się rano przy śniadaniu, a wieczorem po kolacji rozprawiało o wszystkim, to były fantastyczne czasy. Dziękuję Bogu, że się na to załapałem. Teraz jest inaczej. Każdy przyjeżdża na swój koncert i wyjeżdża następnego dnia rano. Organizatorzy liczą pieniądze, zostają tylko ci, którzy występują. Wtedy było się na miejscu przez cały festiwal. Ta atmosfera zginęła nie tylko w Opolu. Jeżdżę dużo po Polsce, występuję i nawet kiedy gramy w jakimś składzie, to wszyscy rozjeżdżają się po zejściu ze sceny, nie zdążymy nawet się pożegnać, bo ten, który występował przede mną, jest już w połowie drogi do domu.

Młynarski, choć stanowił w Opolu centrum zainteresowania, nie był jednak duszą towarzystwa. Nie balangował, nie śpiewał do rana.

Nie chował się też w pokoju zaraz po kolacji, uczestniczył w artystycznym fermencie, jednak z dystansem, jak to on.

– On sam też potrzebował ludzi – mówi Daukszewicz. – Mam wrażenie, że potrzebował nieustannego potwierdzenia swojej wartości. Starał się udowodnić sam sobie, że jest wielki, nie musząc tego robić, bo przecież on był wielki. Od samego początku, kiedy zaczął się pojawiać na estradzie, był wielki. Natomiast w środku najwyraźniej działo się w nim coś takiego, że potrzebował dowodów miłości innych ludzi. Było to po nim widać. Nie uciekał więc przed wielbicielami, a oni admirowali go także dlatego, że był sympatyczny. Czy był wesoły? Raczej powiedziałbym, że serious. Opowiadał oczywiście żarty i anegdoty, ale nie był to typ gościa rozbawionego od rana do nocy.

– W latach 90. spotkaliśmy się ponownie w programie „Cafe Fusy", komentowaliśmy satyrycznie aktualne wydarzenia – opowiada dalej Krzysztof Daukszewicz. Program był pokazywany w telewizji raz w tygodniu, ale przygotowania do niego zaczynały się dzień przed nagraniem. Wtedy było najfajniej. Czwórka uczestników – Młynarski, Daukszewicz, Michał Ogórek i Krzysztof Jaroszyński – spotykali się w mieszkaniu któregoś z nich, najczęściej Jaroszyńskiego, albo w kawiarni, żeby zaplanować, o czym będą rozmawiać następnego dnia. Znowu praca mieszała się z zabawą. Sypały się anegdoty i wspomnienia z estrady, żarty. Zebranie zawodowe było jednocześnie spotkaniem towarzyskim. A następnego dnia wychodził z tego program, który był przecież zaaranżowany jako rozmowa czwórki znajomych w kawiarni.

– Wojtek był w tym towarzystwie absolutnym dominatorem – mówi Daukszewicz. – Zarówno na spotkaniach przed programem, jak i następnego dnia podczas nagrywania zachowywał się jak przywódca stada. Kiedy próbowaliśmy przebić się z jakimiś żartami czy doprowadzić do puenty, przerywał, podsuwał inny pomysł i tak kierował rozmową, że wyszło na jego. Nam to jednak nie przeszkadzało, mieliśmy z tym dużo dobrej zabawy. Czy bez niego, jego puent i pomysłów program byłby równie zabawny? Pewnie pociągnęlibyśmy go, ale to Młynarski był najmocniejszym magnesem na widzów.

Młynarski dbał o swoje piosenki i znajdował im właściwych wykonawców.

– Pisząc teksty, potrafił je dopasować do konkretnych osobowości scenicznych, bo przecież nie każdy piosenkarz ma predyspozycje do zaśpiewania każdej piosenki – mówi Krzysztof Daukszewicz. – Niektóre trzeba zaśpiewać, niektóre trzeba wypowiedzieć, niektóre trzeba na swój sposób zinterpretować. Jest całe mnóstwo takich pułapek i różne typy artystów. A on umiał połączyć właściwą osobę z właściwym tekstem. Kto by zaśpiewał „W Polskę idziemy" lepiej niż Wiesław Gołas! A gdyby zaśpiewał to kto inny, to i piosenka nie byłaby zauważona. W każdej dziedzinie swojej twórczości był profesjonalistą. Nie odpuszczał na żadnym polu.

Myślę o nim jako o kimś, kogo chce się przytulić

Irena Santor

Wojtusia znałam od dziecka. Spotykałam go w Komorowie w latach 50., kiedy przyjeżdżałam z koleżankami do jego domu na kawę. Śpiewałam wtedy w zespole Mazowsze, który miał siedzibę w pobliskim pałacu w Karolinie. Jego ciocia Maria Kaczurbina uczyła nas tam solfeżu, a babcia, pani Modzelewska, była etnografem kostiumologiem i pomagała Mirze Zimińskiej skupywać i kompletować autentyczne kostiumy ludowe na potrzeby Mazowsza. Wojtuś biegał w krótkich spodenkach. Był bystrym dzieckiem z błyskiem w oku, pogodnym i muzykalnym. Jego mama była redaktorem muzycznym w Polskim Radiu, prowadziła redakcję mu-

zyki dziecięcej i audycje dla dzieci. Była uroczą
kobietą, która pięknie potrafiła zadbać o atmosferę domu. Dom rodzinny Wojtka pachniał polskim dworkiem, kawą i ciastem.

Kiedy mały Wojtuś stał się Wojciechem
Młynarskim, w naszym środowisku mówiło się
na niego maestro Wojciech Młynarski. Czułam
się wtedy przy nim trochę skrępowana. Był pie-
kielnie inteligentny, a jednocześnie niecierpliwy,
szybki, mówił zwięźle i od innych też oczekiwał
błyskawicznej puenty. Ja taka nie jestem, myślę
bardziej rozwlekle. Długo więc nie miałam śmia-
łości, żeby poprosić go o piosenki, choć wystę-
powałam wtedy na estradzie od wielu lat, a on
napisał teksty dla tylu piosenkarek.

W końcu się odważyłam. Wojtek napisał teksty do mojej płyty z 2010 roku „Kręci
mnie ten świat". Jeden z nich to „Wiosna w Karolinie". Wzruszył mnie tym, wiedział przecież,
jaki jest mój stosunek do Karolina, w Mazow-
szu zaczęłam przecież swoją artystyczną drogę.
Wojtek to mistrz, wiedział, jakich słów użyć,

żeby nie było ckliwie, ale żeby chwytało za ser-
ce. Zaczynała się tak:

To mi się często śni
Tamta wiosna, moja wiosna w Karolinie
Lila bez, lila mrok
Pierwszy krok w trudne życie, pierwszy krok.

A sens tej piosenki można sprowadzić do
tego, że każdy z nas ma swój Karolin.

I choć wiatr młodość przegoni w świat
Nie zgasną, nie, magiczne myśli twej młodości
One wciąż się tlą i wiodą nas
Niby latarenka w najtrudniejszy czas.

Dwa lata przed jego śmiercią zadzwoni-
łam do niego i powiedziałam: „Wojtusiu, tylko ty
możesz to napisać. Proszę cię, napisz mi piosenkę
o starości".

Wojtek zamilkł, a po chwili powiedział: „Dlaczego ja?".

A ja chciałam tę piosenkę od niego, bo przecież znaliśmy się od zawsze. Przekazałam mu swoje intencje i wiedziałam, że dobrze je ubierze w słowa, był przecież mistrzem celnych zdań. A chciałam, żeby to było o starości takiej jak moja. Nie smutnej, płaczliwej, tylko takiej, na którą można się zdecydować albo i nie. Można czuć się tak, jakby już nic nie miało się wydarzyć, albo tak, jakby życie nieprzemijająco miało smak. I Wojtek w lot to zrozumiał. Sam przecież, z powodu ciężkiej choroby, wiedział wiele o przemijaniu. Napisał piękny tekst.

Czy jabłoń była słodsza
Ptak leciał bardziej szparko
Kiedy ja byłam młodsza
I gdy nosiłam warkocz?

Odpowiedź zawarta jest w puencie:

Bo ja wśród barwnych różności
W życiu jak w sklepie za szybą
Umiem nie wybrać starości
A przecież starość to wybór.

Pisanie tej piosenki zajęło Wojtkowi może ze dwa dni. Nie miał najmniejszych wątpliwości, że muzykę do tych słów powinien napisać Seweryn Krajewski. Jednak Seweryn był wtedy w Stanach Zjednoczonych, trochę więc zmartwiłam się, że tym razem współpraca może się nie udać. Ale cóż, w dzisiejszych czasach technika sprawia, że nie ma rzeczy niemożliwych. Seweryn napisał w jeden dzień muzykę i przysłał przez internet. I tak powstała ta piękna ballada, napisana dla mnie. A ja uważam, że mam wręcz obowiązek śpiewać o starości. Mam 82 lata, jestem najstarsza z pokolenia śpiewających artystów, a starość nie jest moim stanem umysłu. Daję innym dobry przykład.

Mam jeszcze tyle pomysłów na piosenki, a Wojtek odszedł. Dlaczego wcześniej mu ich nie powierzyłam? Wyrzucam to sobie, ale wiem przecież, że nie brałam pod uwagę tego, że on może umrzeć. Wszyscy wiedzieliśmy, że jest chory, ale nie wyobrażaliśmy sobie, że go może nie być.

Był mi bardzo bliski, traktowałam go jak rodzinę. Myślę o nim jako o kimś, kogo chce się przytulić. Mimo że Wojtek nie lubił przytulania.

Epoka wybitnych kabaretów

Janusz Weiss

Teraz to brzmi zabawnie, ale dla nas Wojciech Młynarski był starszym pokoleniem – wspomina Janusz Weiss, który pod koniec lat 60. razem z Jackiem Kleyffem i Michałem Tarkowskim założył grupę Salon Niezależnych, polityczny kabaret z purnonsensowym humorem. Niegrzeczny i nieelegancki.

– Pamiętam spotkanie z Młynarskim, kiedy przyszedł do kabaretu Stodoła na recital – wspomina dalej Weiss. – Zdjął buty, w których przyszedł, i założył elegancko wyczyszczone, błyszczące lakierki. Miał je w worku, takim jak na kapcie. Zdziwiło mnie to trochę, bo my nigdy nie przebieraliśmy się na scenę i kiedyś nawet miano nam to za złe. Występowaliśmy wtedy z kabaretem w Sopocie i po spektaklu jakaś kobieta zbeształa nas, że dzień wcześniej chodziliśmy po Monte Cassino w tych samych ubraniach co przed chwilą na scenie. W kabarecie Stodoła po skończonym występie stanęliśmy wokół Młynarskiego, żeby porozmawiać, i ktoś powiedział: „Mistrzu, do środeczka prosimy". Był tym zdeprymowany, co świadczyło o pewnym dystansie, jaki nas dzielił. On mistrz, my debiutanci.

Młynarski był już wtedy po dużych sukcesach. Miał za sobą etap Hybryd, nagrody na festiwalu w Opolu, dwie płyty z własnymi piosenkami, współpracował z kabaretem Dudek.

Trzech studentów z Salonu Niezależnych wprowadziło właśnie na scenę satyryczną nowy rodzaj humoru, polityczny, a nie obyczajowy, jakim dotychczas zajmowały się kabarety. Z ich punktu widzenia Młynarski to był sceniczny i estradowy establishment.

– To był inny gatunek twórczości – mówi Janusz Weiss. – Jednak imponował nam jego kunszt słowa, szeroka tematyka piosenek. Miał też, podobnie jak Marysia Czubaszek, talent do tworzenia zbitek słownych, określeń, które przechodziły do języka codziennego. Sam z kolei czerpał z języka codziennego. W piosenkach takich jak „Jesteśmy na wczasach" czy „W Polskę idziemy" były zwroty podsłuchane w tramwajach, na ulicy, w środowiskach młodzieżowych czy u pijaków. On miał na to wyczulone ucho i potrafił umieścić takie zasłyszane cytaty w swoich piosenkach.

W archiwalnym nagraniu telewizyjnym Młynarski wspomina, jak usłyszał w tramwaju rozmowę dwóch robotników. „Czy pan mnie wyczuwa?" – upewniał się jeden z nich, kończąc swoją opowieść. I tak powstała piosenka „Och ty w życiu!".

– Do tej pory w piosence dominowała poetyka późnojesiennych obrazów, spadających liści i ja zaproponowałem inną obserwację i inny język. I tym zwróciłem na siebie uwagę

– opowiadał wiele lat później w wywiadzie, który przeprowadziła z nim córka, Agata Młynarska.

Chociaż pod koniec lat 60. dla młodszych Młynarski był już establishmentem, to przecież wcześniej sam był debiutantem, który wnosił do kabaretu coś nowego.

– Od razu był samoistny, sam w sobie oryginalny w twórczości i ciekawości świata – mówi Weiss.

**

Hybrydy to było wówczas bardzo ważne miejsce na mapie kulturalnej Polski.

„Pamiętam oczywiście ten sznur skuterów Lambretta zaparkowanych pod Hybrydami" – wspominał Młynarski klub swoich początków w książce „Hybrydy: 50 lat! Zawsze piękni, zawsze dwudziestoletni". „Pamiętam, jak wyglądała ta młodzież i jej styl życia tak bardzo daleki od siermiężnego stylu, jaki proponował socjalizm. Choćby sposób, w jaki młodzież się ubierała, gdy tak ciężko było coś dostać w sklepie. To był klub, w którym coś się działo, w którym warto było bywać, który tworzył bardzo fajną atmosferę".

Młynarski, student polonistyki, chodził do Hybryd od pierwszego roku studiów, czyli od 1958 roku. Początkowo chodził tam grać w brydża. „To było wtedy wśród młodzieży popularne" – pisał we wspomnianej książce. „Doszło nawet do tego, że Hybrydy wystawiły swoją drużynę brydżową do mistrzostw Warszawy, która przeszła chyba przez dwie rundy".

Chodził tam też słuchać jazzu, bo w Hybrydach działał Jazz Club, w którym grali Jerzy „Duduś" Matuszkiewicz i Zbigniew Namysłowski. Chodził tam w końcu z powodów towarzyskich, bo w soboty i niedziele były tam wieczorki taneczne, na które przychodziły te wszystkie świetnie ubrane, piękne dziewczyny, a Młynarski znany był z tego, że lubił być wśród takich dziewczyn.

Aż w końcu z odbiorcy zamienił się w twórcę i zadebiutował na scenie kabaretowej. W książce o Hybrydach wspomina: „Powstał scenariusz pierwszego mojego (bo ja je reżyserowałem) kabaretowego przedstawienia w Hybrydach »Radosna gęba stabilizacji«. To było w 1962 roku. W tym spektaklu w krzywym zwierciadle, trochę prześmiewczo, pokazywaliśmy na zasadzie szopki konkretne postaci, które przychodzą do Hybryd".

Było więc tango o Leopoldzie Tyrmandzie, kuplety o Krzysztofie Teodorze Toeplitzu, były też aluzje do życia towarzyskiego klubu i do pewnego bywalca, który zawsze ciągnął za sobą, jak to ujął Młynarski, grupę pięknych dziewczyn i mówiło się o nim, że zajmuje się skupem dewiz. Przedstawieniami reżyserowanymi przez Młynarskiego zainteresowała się prasa kulturalna, środowiskowa publiczność z Hybryd i sceny zewnętrzne i w ten sposób, jak pisze, zanurzył się w życie kabaretowe, porzucając status bywalca, który gra w brydża.

Młynarski wspomina program „Ludzie
to kupią": „Miał on też bardzo dobry odbiór.
Wyśmiewaliśmy w nim różne przebieranki, nie-
autentyczności kultury masowej i życia wokół
nas. Ten program w stosunku do poprzedniego miał już nieco poszerzony adres. Myśmy
się już wtedy zaczęli wyśmiewać z telewizji,
z niektórych programów radiowych w rodzaju
»Podwieczorku przy mikrofonie«, co było o tyle
zabawne, że ja się wkrótce w tym samym »Podwieczorku... « znalazłem jako wykonawca".

Z programem „Ludzie to kupią" gru-
pa kabaretowa z Hybryd pojechała na festiwal
studencki do Francji. Był to ostatni program
w klubie. „Zrobiłem dyplom i powoli status
studenta i myślenie kategoriami amatorsko-
-studenckimi oddaliło się ode mnie" – opisuje
w książce o Hybrydach.

Wiele lat później, w tekście dołączonym
do zestawu pięciu płyt „Prawie całość", napisał:
„Z Hybryd wyniosłem przeświadczenie o sile
oddziaływania piosenki kabaretowej. Byłem

przekonany, że piosenka to forma magiczna, w której w błyskawicznym skrócie można nawiązać kontakt z odbiorcą i przy pomocy metafory, aluzji, niedomówienia prowadzić z tym odbiorcą pasjonującą grę".

*

Po Hybrydach był kabaret U Lopka nawiązujący do przedwojennych tradycji, wystawiany w hotelu Bristol. Potem Dreszczowiec rozśmieszający czarnym humorem. Owca założona przez Jerzego Dobrowolskiego. A w końcu Dudek i znowu przedwojenna elegancja. Wychowany w dobrej rodzinie, szanującej przedwojenne tradycje, Młynarski lubił tę elegancję.

Do Dudka Młynarskiego zaprosił Edward Dziewoński, o którym już zawsze Młynarski będzie mówić jak o jednym z największych scenicznych autorytetów. Wspomina tę współpracę, już w nowym stuleciu, w rozmowie z Dziewońskim w radiowym programie „Wojciecha Młynarskiego rozmowy o piosence".

Młynarski: – A moim gościem dzisiaj jest mistrz Edward Dziewoński. Witam cię, Dudku.

Dziewoński: – Witaj, tylko nie znoszę mistrza.

Młynarski: – Strasznie mi brak takiego kabaretu jak Dudek, eleganckiego, który przenosił do tamtych czasów rodzaj przedwojennej elegancji. To się kojarzyło z długimi sukniami, ze smokingami, z frakami, z przedwojenną Warszawą. Tak jak się wychowuje młodzież, ucząc ją dobrych manier, tak można młodych piosenkarzy i aktorów kształcić na tym materiale.

Dudek przejął pałeczkę i część ekipy po telewizyjnym „Kabarecie Starszych Panów" autorstwa Jeremiego Przybory i Jerzego Wasowskiego. Dziewoński opisuje jedną z różnic między obydwoma, podobnymi do siebie, kabaretami. – Jak się robi telewizję, to mówi się niby do całej Polski, ale aktorsko mówi się do siebie i między sobą. Natomiast w kabarecie mówi się do publiczności. I to jest podstawowa różnica.

Sala w siedzibie Dudka była zazwyczaj nabita, mimo że przedstawienia odbywały się późnym wieczorem, bo aktorzy jechali tam dopiero po zakończeniu pracy w macierzystych teatrach. Dziewoński, Kwiatkowska, Gołas, Kobuszewski, Michnikowski wykonywali teksty Młynarskiego, Tyma, Osieckiej, Grońskiego.

Młynarski w rozmowie z Dziewońskim opowiada o kolejnej różnicy między Dudkiem a „Kabaretem Starszych Panów": – Była jeszcze różnica czysto stylistyczna, mianowicie taka, że poezja Przybory zawsze była lekko surrealna. Nawet jeżeli dotykała realiów obyczajowych Polski z tego czasu, to robiła to z jakimś przetworzeniem, w sposób delikatny. Natomiast w Dudku spotkały się dwa pokolenia, bo ja na przykład byłem od was o pokolenie młodszy. Moje spojrzenie było inne, była to taka satyra obyczajowa.

To w Dudku Młynarski napisał Wiesławowi Gołasowi „W Polskę idziemy". I nawet piosenkę o pijakach Gołas śpiewa elegancko w garniturze, krawacie i z chusteczką w butonierce. Dzięki temu jest jeszcze śmieszniej. „W tygodniu to jesteśmy cisi jak ta ćma" – zaczyna starannie ubrany Gołas, chwiejąc się na nogach.

Młynarski w rozmowie z Dziewońskim:
– Jakże specyficznym utworem jest piosenka kabaretowa. Osobowość wykonawcy, miejsce, w którym utwór jest wykonywany, i jego nastrój doreżyserowują utwór. Wielość spotkań z publicznością sprawić może, że piosenka zaskakująco się przeobraża.

W tekście załączonym do kompletu płyt „Prawie całość" napisał: „Współpraca z Dudkiem to była wielka szkoła pisania tekstów kabaretowych pod emploi danego wykonawcy oraz wielka szkoła omijania cenzury. W Dudku miałem zaszczyt napisać pierwsze piosenki z Jerzym Wasowskim, głównie dla Wiesława

Gołasa. Ukoronowaniem tej współpracy był utwór »W Polskę idziemy«. Jeśli chodzi o omijanie cenzury, to najbardziej charakterystyczne są dla mej »dudkowej« twórczości »Ballada o Dzikim Zachodzie« i »Po co babcię denerwować«".

***

– Twórczość Młynarskiego nie była wprost polityczna. Nie miała razić bezpośrednio w system – wspomina Janusz Weiss. – Ona była raczej obyczajowa, z politycznymi aluzjami. Jednak i on musiał ogrywać cenzurę.

Salon Niezależnych stosował na cenzurę sposób wypróbowany wcześniej przez kabaret STS. Był to sposób zwany robieniem cenzury w konia. Funkcjonariuszowi Urzędu Kontroli Prasy, Publikacji i Widowisk przytakiwano przy każdej zmianie tekstu, a potem mówiono i śpiewano swoje.

– Niektóre z naszych tekstów nigdy nie zostały przedstawione cenzurze – mówi Weiss.

– Nie mieliśmy bezpośrednich kłopotów, poza zakazami występów. W Medyku kiedyś wyłączyli światło podczas naszego występu. Powiedziałem wtedy: „My, młodzi, idziemy pod prąd" i daliśmy występ przy świecach.

Młynarski opowiadał o swoim sposobie na cenzurę dwadzieścia pięć lat po jej zniesieniu w programie Marii Szabłowskiej „Bez tajemnic" (Polskie Radio, Jedynka): – Mnie zależało na tym, żeby prowadzić z cenzurą rodzaj gry. Umieć wywieść ją w pole. Powiedzieć, co się chce powiedzieć, ale jednocześnie żeby nie było do czego się przyczepić.

Podaje przykłady z Dudka. Pierwszy – „Ballada o Dzikim Zachodzie".

– Było wiadomo, że chodzi o ciągłą inwigilację przez Służbę Bezpieczeństwa – opowiada w radiu Młynarski. W piosence na każdego mieszkańca przypada jeden szeryf. – Jednak to było ubrane w kostium westernowy i cenzura się nie czepiała, aczkolwiek ludzie się pytali, jak to w ogóle przeszło. Drugi przykład, w moim mniemaniu jeszcze zabawniejszy, to taki, że kiedy był schyłek rządów towarzysza Władysława Gomułki i kiedy było wiadomo, że on jest już wyalienowany, nie wie, co się dookoła niego dzieje, napisałem piosenkę pod tytułem „Po co babcię denerwować", niech się babcia cieszy, że się dla babci drukuje osobne pisemko. „Na domowej drukarence wszystko się wyłuszcza i w ogóle się babuni na parter nie wpuszcza". Cenzor się nie przyczepił, i w czytaniu, i w trakcie obecności na próbach, jednak z czasem doszło do niego, że ludzie niesłychanie na to reagują i strasznie się z tego śmieją. Jednak to już było długo po premierze i nie bardzo im wypadało to zdejmować.

Młynarski ogrywał cenzurę, lecz nie szedł pod prąd. Robił swoje, ale mógł występować na scenie i w telewizji. To był jego sposób. Nie uciekał w nonsens jak jego poprzednicy, nie uderzał we władzę wprost ani podniośle jak jego koledzy i następcy, tylko po swojemu, z dystansem i za pomocą odniesień.

Raz zachował się wprost. W 1976 roku podpisał Memoriał 101, list otwarty polskich intelektualistów przeciw wpisaniu do konstytucji zapisów o przewodniej roli PZPR i trwałym sojuszu z ZSRR. Niedługo po tym dostał na rok zakaz publicznych występów i publikacji. Zakaz objął Młynarskiego jako osobę i jego twórczość. Kiedy w radiu ktoś chciał nadać jego piosenkę, odkrywał, że w taśmotece nie figuruje jego nazwisko. Młynarski odganiał frustrację, tłumacząc piosenki i pisząc teksty na później, jednak poczuł się na nowo sobą dopiero wtedy, kiedy po roku trwania zakazu wszedł na scenę Teatru Żydowskiego w Warszawie.

***

– Drugi raz spotkałem Młynarskiego osobiście dwa lata przed jego śmiercią – mówi Janusz Weiss. – Pracowałem wtedy w Programie 1 Polskiego Radia i raz w tygodniu zapraszałem różnych ludzi na godzinną rozmowę.

Zaprosiłem też Młynarskiego. Rozmawialiśmy o jego planach, bo on zawsze miał jakieś plany, o czym może świadczyć liczba napisanych przez niego tekstów. Nie byłem jego znajomym, ale, jak wszyscy, znałem jego piosenki. Chyba nie ma w Polsce człowieka, który nie wiedziałby, kim był Wojciech Młynarski.

Wiedział,
że z głupoty
bierze się
wszelkie zło

Andrzej Poniedzielski

Studencki Festiwal Piosenki w Krakowie, prestiżowa impreza, szansa na start kariery. Wśród pierwszych laureatów Ewa Demarczyk, Edward Lubaszenko, Marek Grechuta, Maryla Rodowicz, Andrzej Rosiewicz. W 1977 roku główną nagrodę zdobywa Jacek Kaczmarski. W tym samym konkursie występuje Andrzej Poniedzielski.

Festiwal ma już takie znaczenie, że w jury zasiadają tylko zacne i wpływowe nazwiska. Między innymi Wojciech Młynarski.

Kiedy na scenę wychodzi Poniedzielski, nie wygląda to dobrze.

– Nie stanowiłem nadzwyczajnie ciekawej propozycji – przyznaje. – Biorąc pod uwagę kanony ówczesnej estrady, stanowiłem, mówiąc szczerze, jawny obraz nieszczęścia. Byłem zgiętym w pół mężczyzną z gitarą, wpatrzonym w końcówki swoich butów. Próbowałem coś zaśpiewać, choć nie powinienem użyć tego słowa, bo to były raczej melorecytacje z elementami śpiewu.

Wtedy trzeba było mieć na siebie pomysł, żeby coś wygrać. Nie tylko ciekawy tekst i dobry głos, ale jeszcze aranżację, zapadający w pamięć temperament. Sam smutek nie wystarczał. Jednak Młynarskiemu coś się w tym człowieku spodobało.

– Mój wizerunek sceniczny był tak zły, że Wojtek z nudów zajął się czytaniem moich tekstów – wyjaśnia Poniedzielski.

I to właśnie w tekstach dostrzegł coś ciekawego i zapadającego w pamięć.

***

Trzydzieści jeden lat później podczas uroczystej gali w teatrze Ateneum Wojciech Młynarski odbierze przyznane mu Złote Berło, nagrodę Fundacji Kultury Polskiej. Zgodnie ze zwyczajem związanym z nagrodą zostanie poproszony o wskazanie osoby, którą uważa za swojego kontynuatora. Osoba ta dostanie Małe Berło. Młynarski wskaże wtedy Andrzeja Poniedzielskiego. Od tej pory o Poniedzielskim mówi się jak o następcy Młynarskiego.

– Jestem tym zaszczycony, jednak ja sam nigdy nie nazwałbym się kontynuatorem twórczości Wojtka, czułbym się zażenowany – zarzeka się Poniedzielski. – No bo jak można porównać jego dokonania i moje? Nawet przy optymistycznym założeniu, że coś się zmieni w wielkości i szybkości mojej twórczości, i tak jestem słabo godzien takiego określenia. Nie mam co się z nim porównywać, nie dojdę do takich wyżyn jak on nigdy. Jednak mogę swobodnie przyznać, że Wojtek Młynarski od początku do końca był twórcą mojej kariery.

Wtedy, na festiwalu studenckim w Krakowie w roku 1977, też dostał nagrodę dzięki Młynarskiemu, który przekonywał do tej decyzji jury. Nie było mu łatwo. Szacowne grono widziało wyraźnie, że student nie porywał, jednak Młynarski nie ustępował, argumentował, że broni się tekstami. W końcu grono postanowiło przyznać studentowi Nagrodę Naczelnej Redakcji Muzyki Estradowej PRiTV. Rok później Poniedzielski na festiwalu studenckim dostał drugą nagrodę, a na Warszawskim Przeglądzie Piosenki Autorskiej pierwszą oraz zaproszenie na koncert Debiuty do Opola. Kariera ruszyła. A wszystko dzięki temu, że Wojciech Młynarski kiedyś z nudów zainteresował się jego tekstami. Tworzył nie tylko kariery piosenkarek i piosenkarzy, którzy z jego utworami wygrywali festiwale w Opolu, także sceny satyryczna i poetycka zawdzięczają mu kilka gwiazd.

Nie musiał nikogo holować, uczyć. Zauważał rokujących i zwracał na nich uwagę. Wystarczyło kilka uwag, sugestii, co robić.

– Czasem wystarczyło nawet, że powiedział, czego nie robić – mówi Poniedzielski.

On dowiedział się, że nie warto tkwić w krainie smutku.

– Jako młody człowiek dałem się pochłonąć poezji śpiewanej – przyznaje. – To nic trudnego w tym wieku. W młodości odkrywa się wiele prawd o człowieku, o świecie i poezja śpiewana te prawdy wygłasza. Dałem się więc jej wciągnąć, i to mocno. Nie żałuję tamtych lat. Jednak w końcu należało, przynajmniej częściowo, wyjść z tej krainy smutku. Zawdzięczam Wojtkowi to, że mnie z niej wyciągnął.

Proces odbył się przez zwykłe rozmowy, zwracanie uwagi na to, co dobre, i na to, jakie powinno być. W piosenkach Młynarskiego ze smutkiem przeplata się śmiech. Oba uczucia są równie ważne, żadnego nie można pominąć, żadnego faworyzować. Napisał nawet o tym w końcu piosenkę „Alkoholicy z mojej dzielnicy":

A oni mówią: A wiesz pan, dlaczego
teatr ogólnie jest piękny?
Bo teatr to jest śmiech, kolego,
bo teatr to jest płacz, kolego!
To są te trzy elementy!

Piosenka powstała w 1989 roku, Młynarski tworzył i występował wtedy już od trzydziestu lat, jednak zasada „trzech elementów" od początku jest obecna w jego tekstach. To jeden ze znaków charakterystycznych.

– Takie jest życie w piosenkach Wojtka, tam śmiech przenika płacz. Żart jest przepleciony z dramatem – mówi Poniedzielski.

W „Bynajmniej" pan wyznaje pani miłość w pociągu dalekobieżnym, ale robi przy tym zabawny błąd, wywołując drwinę. Jest śmieszny i godny współczucia jednocześnie. Czasem cała opowieść jest śmieszna i smutna, a czasem zabawne słowa łagodzą dramatyczną atmosferę. Kiedy w piosenkach, jak w teatrze, splatają się dwa rodzaje dramatu, czyli komedia i tragedia, wtedy lepiej ich się słucha.

– Człowiek wstępnie rozśmieszony lżej przyjmie nawet gorzką prawdę na swój temat – tłumaczy Poniedzielski. – Dlatego właśnie mówię, że Wojtek wyciągnął mnie z obszaru zdominowanego przez dramat pozbawiony swojej drugiej twarzy. Nauczyłem się od niego, że sam dramat – rozumiany jedynie jako tragedia – to za mało.

– Wojtek zawsze jakoś czuwał nade mną – dodaje. – Kolejne spotkania były dla mnie wyznacznikiem mojego rozwoju. Obserwował, co robię. Pokazywał mnie innym.

Kiedyś, jak wspomina, relacje między znaczącymi postaciami środowiska artystycznego a wschodzącymi dopiero artystami były skonstruowane inaczej niż dziś. Gdy młody poeta tekściarz spotykał Młynarskiego, Jonasza Koftę czy Jana Kaczmarka, oczywiste było, że okazywał im szacunek. Ale nie trzeba było od razu padać na kolana.

– Oni wytwarzali taką atmosferę, że w kontaktach z nimi nie było elementu uniżenia – mówi Andrzej Poniedzielski. – Traktowali nas, młodych gniewnych, bardzo dobrotliwie, z zaciekawieniem. I jeżeli widzieli talent czy choćby dobrze pojętą skłonność do działania, to umieli doradzić.

Każde spotkanie, każda rozmowa z Młynarskim coś dawały. O czym były? O życiu.

– O drobiazgach, które zauważaliśmy – mówi Poniedzielski. – Mogło to być o wiośnie, o czymkolwiek. Ale z samego jego sposobu mówienia czerpało się dystans do świata, obserwowało się sposób patrzenia Wojtka.

Rok po namaszczeniu Małym Berłem Młynarski zaproponował Poniedzielskiemu udział w tworzeniu płyty „Pogadaj ze mną", nad którą pracował razem z Włodzimierzem Nahornym.

– To było coś. Sam Wojtek Młynarski dzwoni do mnie i mówi: czy mógłbyś napisać coś na tę płytę? – opowiada.

Teksty na płytę pisał Młynarski, muzykę komponował Nahorny, piosenki mieli wykonywać aktorzy i piosenkarze. Poniedzielski miał napisać wprowadzenie do tych piosenek, które planowano wydrukować razem z tekstami Młynarskiego w książeczce dołączonej do płyty.

– Zalała mnie mieszanina strachu i wszystkich możliwych uczuć – wspomina.

Napisał jednak te „teksty śródpiosenkowe" i uważa, że to właśnie ta propozycja, bardziej niż Berło, była dowodem zaufania i docenienia.

***

Uwaga, którą Młynarski obdarzał innych, oprócz funkcji zaszczytnej miała jednak jeszcze jedną. Onieśmielała. Wielu artystów, których dostrzegł i którym dał szansę, niemal umierało ze strachu, kiedy przyszło im wykonywać przy Młynarskim jego piosenki. Poniedzielski opowiada: – Paraliżowała ich już sama myśl, że on mógłby być odbiorcą swoich piosenek w ich wykonaniu. Bo Wojtek wszystko wyłapywał. Do ostatniej chwili życia pamiętał każde słowo, każdy przecinek swojego tekstu. A, jak wiadomo, różnie to bywa na scenie, czasem śpiewa się na skróty, czasem trochę Młynarskiego, trochę siebie. Czasem coś się dzieje takiego, że zgubi się przecinek. Natomiast ja na szczęście nie bałem się Wojtka, może dlatego, że sam piszę i zwracam ogromną uwagę na przecinki. Chodzi mi oczywiście o przecinki umowne, o pewien rodzaj wyrażania myśli, o sposób ich zapisania, przekazania. O szczegóły, bez których to już nie jest to. Piosenka jest o tyle trudna, że w tej swojej skrótowej, zwrotkowo-refrenowej formie narzuca lakoniczność wypowiedzi. Tam nie ma czasu na rozwodzenie się, dlatego każda litera, każdy wyraz są ważne. Każdy znak interpunkcyjny jest ważny. Ja zwracam na to uwagę. Dlatego więc nie bałem się Wojtka.

Poniedzielski śpiewał piosenki Młynarskiego, które on sam wykonywał, a także jego teksty śpiewane przez innych. Doczekał się za to pochwały. Młynarskiemu odpowiadał oszczędny sposób stosowania środków wyrazu. Bo w piosence nie chodzi o to, żeby prezentować siebie. W piosence bohaterką jest ona sama. I jeśli się o tym zapomni i pomyśli, że to nie ona, tylko wykonawca jest ważny, nic z tego nie będzie. Lepiej się zająć czymś innym.

Podczas pisania swoich piosenek Andrzej Poniedzielski myślał czasami: a co by Wojtek powiedział? Bo kiedy pracuje się w branży tworzenia słów i prób opowiedzenia czegoś na nowo, można kogoś urazić, zirytować, otrzeć się o prowokację. Trzeba trzymać się granic. Kiedy więc czuł, że zbliża się do granic, myślał: co by Wojtek na to powiedział? Z czasem, kiedy wyzbył się niepewności piszącego,

częściej jednak pojawiała się myśl: oj, to może
by się Wojtkowi spodobało.

— Były momenty, kiedy mówił, że poszedłem w obszar pieśni bardzo jednoznacznej,
odnosił się do tego ze sceptycyzmem, bardziej
mu odpowiadały występy nie tak bardzo wprost
– wspomina Poniedzielski. – Nie ganił jednak,
raczej podpowiadał.

— Wojtek pomógł mi także dlatego, że
dzięki niemu miałem na kim się wzorować
– wspomina dalej Poniedzielski. — Wzorować,
ale w tym dobrym tego słowa znaczeniu, czyli
bez zaniedbywania siebie, bez tracenia siebie.
Ja się na nim wychowałem. Słuchałem go od
dziecka, od lat 60. W radiu i telewizji było pełno jego piosenek, więc najpierw słuchałem ich
mimowolnie, a potem sam ich szukałem.

***

W czasach dzieciństwa i wczesnej młodości Poniedzielskiego naturalnym, a czasami

jedynym nośnikiem utworów muzycznych było radio. Płyty trzeba było zdobyć w sklepie albo trafić na nie w komisie, nie leżały sobie, czekając na klientów. Zdobywał więc je. Pamięta jedną, której słuchał podczas choroby. Było to niegroźne przeziębienie, na tyle jednak poważne, że musiał leżeć w łóżku. Akurat zdobył winyl z autorskimi wykonaniami Młynarskiego. Były na nim największe piosenki – „Jesteśmy na wczasach", „Bynajmniej", „Przedostatni walc", „Żniwna dziewczyna". Całą chorobę przeżył na tej jednej płycie. Słuchał na okrągło, jak się kończyła, puszczał od nowa. Nic innego nie odciągało jego uwagi, mógł się skupić tylko na piosenkach. Do tej pory pamięta całe teksty, których się wtedy mimowolnie nauczył.

– A po latach przyszło mi je śpiewać. Przyszło... ja chciałem je śpiewać! – mówi.

– Bardzo mi się podobał jego sposób patrzenia na świat – opowiada dalej. – Dla mnie, ówczesnego nastolatka, Młynarski był rodzajem awangardy wobec lekko skostniałego stylu śpiewania, który wtedy dominował w głównym obiegu.

Przed Młynarskim, jak wspomina, istniały dwa światy piosenek. Jeden oficjalny, pokazywany w telewizji, grany w radiu, koturnowy, wystrojony, wypachniony. I drugi, marginalny, piwniczny, underground w pełnym tego słowa znaczeniu. A pośrodku niczego nie było. I ten środek wypełnił Młynarski. To samo robili Agnieszka Osiecka i Jonasz Kofta.

– Zawdzięczamy wszyscy Wojtkowi to, że pozbawił piosenkę koturnu, dodał jej swój język, ale jednocześnie nie sprowadził jej do wygodnej, ale i lekko nieszczęśliwej estetyki kapci, jeśli już się posługujemy metaforą obuwniczą – tłumaczy Poniedzielski. – Stąd się bierze ogromna popularność jego twórczości. Jak sam kiedyś napisał, jego „ulubieńcami" byli zarówno profesorowie uniwersytetu, jak i prości, zwykli ludzie.

Promocja książki „Moje ulubione drzewo" w teatrze Ateneum. Najpierw koncert, potem podpisywanie książki przez autora. Młynarski siedzi przy stoliku, a przed nim przez całe długie schody ciągnie się kolejka.

– Ponieważ obserwowałem ją z tyłu, widziałem głowy mocno posiwiałe, ale także w nowych, modnych fryzurach – opowiada Poniedzielski. – A na końcu tej kolejki stał w pełnym umundurowaniu strażak teatralny. Z książką do podpisu.

Siła piosenek Młynarskiego polegała więc także na tym, że były dla całej kolejki. Dla starego i młodego, dla profesora i dla strażaka. Dla tego, kto doszuka się wszystkich ukrytych znaczeń, odniesień zrozumiałych dla człowieka wykształconego, i dla tego, kto się nie doszuka, ale też znajdzie coś dla siebie.

Profesorowie chętnie słuchali Młynarskiego, bo każda filozofia wymaga uaktualnień i poprawek, nowego systemu skojarzeń, odniesienia do rzeczywistości. I Młynarski to robił. Uniwersalne zasady przenosił na współczesne czasy i objaśniał rzeczywistość. Przybliżał ją profesorom, którzy znali wielkie teorie, ale nie za bardzo znali życie.

– Wojtek zwyczajnie lubił tych różnych Ziutków i innych zajmujących się na przemian zarabianiem na flaszkę i wypijaniem tej flaszki – mówi Poniedzielski. – Wiedział, że tam filozofia jest tłumaczona na język codzienny. Pięknie to umiał robić. A poza tym od twórcy wymaga się, żeby on czuwał i opisywał rzeczywistość. Wojtek to robił i dodawał coś więcej, bo potrafił zmieniać skojarzenia. Bo jeżeli ludzkość w ogóle się rozwija, to myślę, że głównie z tego powodu, że zmienia się szybkość, wielobarwność skojarzeń. Wojtek pięknie to robił, cytował rzeczywistość, czasem zupełnie dosłownie, ale wyposażał ją na kanwie tego cytatu w dodatkowe znaczenia. I wtedy obok tych, którzy mówili proste prawdy, jako odbiorcy pojawiali się profesorowie.

***

Młynarski nie lubił pisania wprost. Po to się pisze piosenkę, żeby właśnie nie było wprost – uważał. Poniedzielski opisuje to tak:
– Pisząc piosenkę, mam wciągnąć słuchacza do mojego świata. I tak nam minęła pierwsza zwrotka. Później jest refren, żebyśmy się bliżej poznali, druga zwrotka to rozpoznanie pogłębia, a w trzeciej już trzeba się żegnać. Wszystko trwa trzy minuty, krótsza piosenka jest niedobra i dłuższa też, nie wiem dlaczego, ale tak jest. Widocznie sekwencja duszy jest trzyminutowa. No więc, gdy mija czas, trzeba przejść do puenty i widza, słuchacza, z mniej lub bardziej widocznym żalem, porzucić. Skierować go do jego obowiązków. Nie ma co się tu rozgaszczać. I już. A jeżeli cały świat piosenki trzeba stworzyć w trzy minuty, nie można tego robić wprost. W piosence musi być metafora i puenta, bo nie wychodzi się na scenę bez powodu. Miałem coś państwu do powiedzenia i mówię.

Tak naprawdę mogłem zacząć od puenty, czyli powiedzieć wprost. Tylko że inaczej byliśmy umówieni.

Oczywiście dla Młynarskiego puenta była najważniejsza. To ona powinna być powodem do napisania piosenki. Nie musi być w klasyczny sposób na końcu, może być rozmieszczona w tekście. Ale musi być. Bez niej nie ma piosenki.

Piosenki Młynarskiego znowu nabierają nowego znaczenia, znowu starymi prawami objaśniają nową rzeczywistość.

– Nie chciałbym, żeby zabrzmiało to jak próba deprecjonowania talentu Wojciecha Młynarskiego, ale w Polsce jest dość łatwo napisać coś ponadczasowego – mówi Poniedzielski. – I Jonasz Kofta, i Janek Kaczmarek, i Wojciech Młynarski, a jeszcze wielu innych twórców mówiło mi, że jeżeli napiszesz wiersz, piosenkę o tym kraju, to się przez całe dziesięciolecia sprawdza. I teraz mamy na to przykład – wszystkie piosenki Wojtka, w szczególności te o ludzkiej głupocie, właśnie się sprawdzają. Wojtek wiedział, że z głupoty bierze się wszelkie zło. Bo głupota niewytknięta, nieukazana, zamieni się w podłość, nienawiść, we wszystko, co najgorsze. Dlatego trzeba ją wcześnie zauważyć, również w sobie, i pokazać. Oświetlona na jakiś czas znika. Jej siła przetrwania jest jednak ogromna. Wybucha co kilkadziesiąt lat. Wtedy następuje zanik systemu immunologicznego demokracji i głupota znów staje się wielka i śmiertelnie niebezpieczna. Mamy właśnie czasy, do których piosenki Wojtka można przyłożyć, jak dawniej. To jest ich szczęście i nieszczęście zarazem. Mnie pozostaje radość, że udało mi się żyć w epoce, która gościła Wojciecha Młynarskiego.

○

Wspaniałe ucho do rzeczywistości

Marek Groński

Wojtek dysponował rymem jako przewodnikiem fantazji. Powtarzam to, ilekroć o nim myślę. Dzięki temu udawało mu się nie naśladować nikogo, zachować odrębność i podkreślać swoją inteligencką tradycję.

W ówczesnym środowisku satyrycznym zdarzało to się rzadko. Satyrycy starali się wówczas dorównywać różnym typom odbiorców, okazom wręcz. Próbowali więc udawać, że są głupsi, operować językiem slangowym, okropnym. A Wojtek Młynarski nawiązywał do tradycji literatury. Robił tak, bo dla niego tekst piosenki, tekst wiersza był literaturą. Dzięki temu udawało mu się przekazać wiele swoich

obserwacji, a był bardzo dobrym obserwatorem
rzeczywistości.

***

Mógł sobie pozwolić na to, żeby mieć
własne zdanie. Nie był nigdy w grupie, nie był
nigdy tak związany z kolegami jak inni. Nigdy
nie dał się na to namówić, zarówno w czasie,
kiedy debiutował w Hybrydach, jak i później.
W kabaretach miał zawsze odrębne miejsce. Był
po prostu kimś indywidualnym.

Pamiętam, jak mówił, że niczego tak
bardzo nie lubi, jak nowobogackich w języku
polskim. On operował polszczyzną kabaretu
przedwojennego, polszczyzną Tuwima, Hemara,
Lechonia. Dzięki temu udawało mu się zachować oryginalność. To jest niesłychanie trudne,
ale możliwe do wykonania. Potrafił w sposób
bardzo zwięzły charakteryzować sytuację, także
w codziennych rozmowach. Równocześnie potrafił korzystać z czyjegoś powiedzenia, kiedy

było dobre. Dzięki temu udawało mu się osiągać rzeczy oryginalne, ciekawe. Kiedy profesor Aleksander Bardini, patrząc na młodego człowieka, który przyszedł przedstawić mu narzeczoną, powiedział: „Nie w twarzy zabawa", Wojtek natychmiast zareagował i obiecał, że on z tego zaraz zrobi piosenkę. Niestety nie zrobił, w każdym razie nic o tym nie wiem.

Był człowiekiem riposty, szybkiej oceny sytuacji. Przyszedł kiedyś na zebranie w kabarecie Dudek. Przygotowywano nowy program. Wojtek wchodzi i mówi: – No przepraszam was bardzo, koledzy, ale jeśli powiem coś głupiego, to dlatego że przed chwilą miałem wymianę myśli z towarzyszem cenzorem.

***

Wojtek miał wzory, miał swoich mistrzów i był im wierny. Jego mistrzem literatury zagranicznej był Bułat Okudżawa. Wojtek bardzo się z nim zaprzyjaźnił. Byłem przy tym, jak go poznał. To wydarzyło się podczas pierwszej wizyty Okudżawy w Polsce, właściwie bez występów, bo był tylko jeden półlegalny występ w redakcji „Szpilek". I Wojtek właśnie na ten występ przyszedł. Pamiętam jego rozmowę z Okudżawą. Kiedy Okudżawa zbierał się już, bo za chwilę wracał do Moskwy, Wojtek powiedział: – Teraz zachowamy się zgodnie ze starym rosyjskim zwyczajem. Będziemy milczeć i siedzieć. Okudżawa popatrzył na niego i powiedział: – Siedzieć tak, ale nie za długo.

Innym bardzo ważnym dla Wojtka autorytetem był profesor Aleksander Bardini, od którego wiele się nauczył i dzięki któremu wiele skorzystał. Następnym Kazimierz Rudzki – to jemu zawdzięczał powiedzenie, że coraz ciaśniej otacza go rzeczywistość.

Kiedy były manifestacje uliczne, zajścia wszelkiego rodzaju, Wojtek w tym uczestniczył, choć w sposób niezbyt zaangażowany. Pytany, dlaczego to robi, bo przecież może to się skończyć całkowitym zakazem występów, pisania i drukowania, powiedział: – Bardzo przepraszam, ale ja byłem wychowany na westernach.

To właśnie cały on. Miał dużo takich ładnych puent. Ładnych i ciekawych. Cytował powiedzonka innych, które mu się szczególnie podobały. Wiele rzeczy by nam umknęło, gdyby nie on.

***

Dzięki wyjątkowemu darowi obserwacji, który miał Wojtek, jego szlagiery wciąż są pamiętane. Pamiętamy „Niedzielę na Głównym", bo ten tekst był zapisem ówczesnej rzeczywistości. Pamiętamy „W co się bawić?", ponieważ ta piosenka wiernie oddaje realia Polski Ludowej. I tak dalej, i tak dalej, mógłbym jeszcze długo snuć tę wyliczankę.

Równocześnie Wojtek potrafił w sposób mądry, nie tak dosłowny jak inni, nienachalny, nie tak prostacki jak wielu jego kolegów przekazywać rzeczy ważne. Wysyłać nam ważne komunikaty. W rocznice Marca'68 często przypominałem sobie jego piosenkę „Tak jak malował pan Chagall". Fragment piosenki poświęcony jest przyjaciołom marcowym, którzy z Wojtkiem się pożegnali, wyjechali i już nigdy nie wrócili. To było bardzo ciężkie przeżycie. Wojtek pisał:

Tych miasteczek nie ma, nie
Ale krawcze oczy twe
Miał kolega, gdy pociągu zabrzmiał gwizd
Pozostały na peronie
Nasze zaciśnięte dłonie
I ten szept: bywaj zdrów, napisz list.

To jest jedno z ładniejszych pożegnań marcowych. On cały dramat związany z antysemicką czystką wyraził w sposób aluzyjny, ponieważ nic go tak nie raziło jak dosłowność, jak wpychanie w głowy rzeczy oczywistych, banalnych, stereotypowych. Stąd jego oryginalność. Kto mógłby tak fantastycznie odpowiedzieć na przykład na pytanie, czym jest małżeństwo? To kaftan bezpieczeństwa miłości – mówił Wojtek. Czyż nie trafne i prawdziwe?

***

Nasza znajomość trwała wiele lat. Poznałem go w czasie, kiedy występował w dziś już zapomnianym kabarecie Dreszczowiec. I tu warto przypomnieć, że była to jedna z pierwszych prób pokazania w Polsce czarnego humoru. To był 1965 rok, jeśli dobrze pamiętam. Dawne czasy... Kabaret Dreszczowiec założyli Marian Jonkajtys i Rena Rolska. Ważnym autorem był w nim Maciej Zembaty. Wojtek napisał parę tekstów w stylu czarnego humoru i brał udział w jednym skeczyku. Wychodził do publiczności i mówił: „Bardzo przepraszam, może by ktoś z państwa kupił tę gęś? Już oskubana, ale nie miałem serca jej zabić".

Występy Wojtka w kabaretach to był bardzo ważny etap w jego życiu. A było tego wiele. Na przykład U Lopka na pięterku hotelu Bristol, gdzie śpiewał swoje piosenki bardzo dobrze korespondujące z piosenkami przedwojennymi, które wykonywał Lopek, czyli Kazimierz Krukowski, i inni wielcy artyści tamtych czasów. Rola Młynarskiego w kabarecie Dudek – wszyscy wiedzą. Odcisnął na tym kabarecie piętno niebywałe, bo był w nim głównym autorem. Bez niego trudno wyobrazić sobie, żeby ten kabaret kiedykolwiek istniał. Ale występował również w Wagabundzie, czyli kabarecie, a właściwie teatrzyku obliczonym na masową widownię. Jednak zaznaczmy – na masową widownię inteligencką. Ponieważ o tym zawsze należy pamiętać – Wojtek nie miałby siły przebicia do ćwierćintelektualistów, czy, jakby można ich nazwać, ludzi nieporadnych umysłowo. On by się dla nich nie liczył. Ludzie ci mieli swoich faworytów, a Wojtek był ozdobą innych scen. Dzięki temu potrafił pociągnąć dalej tę całą linię artystów, która wywodziła się z dawnych czasów. Szczególnie należałoby podkreślić jego rolę autora przedstawienia poświęconego Marianowi Hemarowi. W Teatrze Ateneum pokazywał publiczności twórczość przez tyle lat zakazanego autora, jednego z najwybitniejszych, jeśli nie najwybitniejszego kabareciarza sprzed wojny. Marian Hemar pokazany przez Wojtka był pisarzem i równocześnie bacznym obserwatorem rzeczywistości, mistrzem skrótu i charakterystyk psychologicznych, odkryć dotyczących kobiet, mężczyzn, czasów, w których się działa akcja tego przedstawienia. Było to bardzo ważne przedstawienie i myślę, że wielu ludzi, którzy próbowali swoich sił w kabarecie, zastanawiało się po nim: czy można inaczej? Czy można mądrzej? Nie uciekać się do tanich sztuczek, ale pokazać coś, co jest kawałkiem dobrej prozy, dobrej poezji, dobrego skrótu satyrycznego.

***

Tak jak mówiłem, Wojtek zachował odrębność. Nie chciał się przystosować, nie chciał

udawać. Potrafił za to rzeczy, których nie przyjmował, wykpić, wyśmiać, pokazać, że są to rzeczy niepoważne, niedobre. Kiedy na przykład
jeden mówi: „Oł", a drugi „Joł", i to jest cały
dialog ludzi. Nie, Wojtek tego nie znosił. Uważał, że język polski ma w sobie tyle skarbów, tyle
wartości, że można dzięki nim pokazać właściwie wszystko. Uczucia, gniew, swoje własne
poglądy, ale nie trzeba robić tego dosłownie. Nie
należy robić łopatologicznie. On się tą łopatą
nie posługiwał, brzydził się nią. Uważał, i to
było jego intencją życiową, że tekst satyryczny
powinien pobudzać myślenie, ale nie może go
zastąpić.

Jego odrębność towarzyska wynikała
z odrębności twórczej. Autor polega przede
wszystkim na sobie, jego najbliższym przyjacielem jest kartka papieru. A Wojtek był bardzo
pracowity. Zostawił przecież po sobie bardzo
duży dorobek. Nie tylko piosenki i wiersze, musimy pamiętać też o librettach, o bardzo cie-
kawym przedstawieniu „Eryk VI na łowach",

które robił dla Kazimierza Dejmka. Musimy też pamiętać sztukę „Cień" i wszystkie te rzeczy, które opracowywał. Dodawał do nich swoją osobowość. A do tego nie było potrzebne rozbuchane życie towarzyskie. On wolał zamknąć się w sobie, mieć swoje sekrety, swoje rozwiązania tekstowe i umysłowe i to było dla niego ważniejsze niż jakieś zabawy, przedrzeźnianie czy po prostu podlizywanie się publiczności o bardzo różnym poziomie. Dlatego on nie był dla każdej publiczności, na pewno nie. Nie każda publiczność jest w stanie go zrozumieć. Tym bardziej lubiła go ta, dla której tworzył.

A jemu było z tym przyjemnie i dobrze, bo każdy autor lubi to poczucie, że trafia do publiczności. On trafiał do publiczności, do jej pewnej części, bardziej wykształconej i wyrobionej. Dzięki temu wiele jego tekstów przetrwa, będzie na nowo odkrytych. Teksty te będą słownikiem czasów, które minęły. On te czasy pokazywał, potrafił w tym, co się działo, znaleźć jakiś sens i równocześnie widzieć przyszłość.

Jednak musimy pamiętać, że wiele jego tekstów zachowało aktualność, choćby słynne „W Polskę idziemy".

***

Warto też podkreślić jego umiejętność współpracy z aktorami. Nieomylnie znajdował odpowiednich wykonawców do swoich tekstów. Bardzo to było ważne. Pamiętam, jak duże wrażenie na ludziach doświadczonych przecież kabaretowo i teatralnie wywarło, jak Lidia Wysocka zaśpiewała piosenkę, którą Wojtek dla niej przyniósł. „Z kim tak ci będzie źle jak ze mną?" To przecież bardzo oryginalny rodzaj wyznania. W tej piosence mieści się cały styl Wojtka. A przyniósł ją właśnie Lidii Wysockiej, licząc na to, że ona potrafi wydobyć z niej sens. Że to nie będzie błazenada, tylko coś, co zostanie na długo. Tak jak zostaną jego szlagiery z zapisanym tzw. szlagwortem, jak na przykład „Jesteśmy na wczasach, w tych góralskich lasach". Takie rzeczy mogą się zdarzyć tylko autorowi mającemu wspaniałe ucho do rzeczywistości. Trafia do ludzi, a jednocześnie zostaje w pamięci. To jest bardzo ważne w przypadku piosenki, że pamięta się ją, idzie się za autorem, że znajduje się w niej sens. Na tym właśnie polega siła talentu, żeby coś takiego stworzyć. Dlatego Wojtek był autorem tak oryginalnym. Potrafili się na tym poznać ludzie bardzo dobrze osadzeni w kabarecie. Jednym z mistrzów Wojtka i wzajemnie był Jerzy Dobrowolski, czyli twórca takich kabaretów jak Koń i Owca. Bardzo byli ze sobą zaprzyjaźnieni, o ile Wojtek potrafił się wiernie przyjaźnić przez lata. Raczej dotyczyło to muzyków, z którymi współpracował. Stąd jego wielki szacunek i ścisła współpraca z Jerzym Wasowskim. No i Jerzym Derflem, który był jego ulubionym muzykiem i z którym napisał wiele, wiele piosenek. Drugim kompozytorem, z którym Wojtek lubił współpracować, był Włodek Korcz.

Wojtkowi z powodu choroby niełatwo było się pewnie przyjaźnić. Czasem dochodziło do sytuacji trudnych. Jednak została po nim wielka, niepowtarzalna twórczość. I tę twórczość wspominajmy.

Spis treści